U0150340

国家陆地生态系统定位观测研究站研究成果

中国陆地生态系统质量定位观测研究报告 2020

荒 漠

国家林业和草原局科学技术司 ◎ 编著

中国林业出版社
China Forestry Publishing House

图书在版编目(CIP)数据

中国陆地生态系统质量定位观测研究报告. 2020. 荒漠／国家林业和草原局科学技术司编著. —北京：中国林业出版社，2021. 11
(国家陆地生态系统定位观测研究站研究成果)
ISBN 978-7-5219-1049-0

Ⅰ. ①中… Ⅱ. ①国… Ⅲ. ①陆地–生态系–观测–研究报告–中国–2020 ②荒漠–生态系–观测–研究报告–中国–2020 Ⅳ. ①Q147

中国版本图书馆 CIP 数据核字(2021)第 222483 号

审图号：GS(2021)8683

责任编辑：李　敏　王美琪

出版	中国林业出版社(100009　北京西城区刘海胡同 7 号)
	网址　http：//www.forestry.gov.cn/lycb.html　电话　010-83143542
发行	中国林业出版社
印刷	北京博海升彩色印刷有限公司
版次	2021 年 11 月第 1 版
印次	2021 年 11 月第 1 次印刷
开本	889mm×1194mm　1/16
印张	9.5
字数	146 千字
定价	100.00 元

编委会

主　任　彭有冬

副主任　郝育军

编　委　厉建祝　刘韶辉　刘世荣　储富祥　费本华
　　　　宋红竹

编写组

主　编　卢　琦　程磊磊

副主编　李永华　曹晓明　王　锋　周金星

编　者　曹晓明　程磊磊　丛巍巍　崔梦淳　关颖慧
　　　　李永华　林　琼　卢　琦　乔　琨　万　龙
　　　　王　锋　乌日娜　吴协保　吴秀芹　周金星

编写说明

习近平总书记强调："绿水青山既是自然财富、生态财富，又是社会财富、经济财富。"那么，我国"绿水青山"的主体——陆地生态系统的状况怎么样、质量如何？需要我们用科学的方法，获取翔实的数据，进行认真地分析，才能对"绿水青山"这个自然财富、生态财富，作出准确、量化地评价。这就凸显出陆地生态系统野外观测站建设的重要性、必要性，凸显出生态站建设、管理、能力提升在我国生态文明建设中的基础地位、支撑作用。

党的十八大以来，党中央、国务院高度重视生态文明建设，把生态文明建设纳入"五位一体"总体布局，并将建设生态文明写入党章，作出了一系列重大决策部署。中共中央、国务院《关于加快推进生态文明建设的意见》明确要求，加强统计监测，加快推进对森林、湿地、沙化土地等的统计监测核算能力建设，健全覆盖所有资源环境要素的监测网络体系。

长期以来，我国各级林草主管部门始终高度重视陆地生态系统监测能力建设。20 世纪 50 年代末，我国陆地生态系统野外监测站建设开始起步；1998 年，国家林业局正式组建国家陆地生态系统定位观测研究站（以下简称"生态站"）；党的十八大以后，国家林业局（现为国家林业和草原局）持续加快生态站建设步伐，不断优化完善布局，目前已形成拥有 202 个（截至 2019 年年底）站点的大型定位观测研究网络，涵盖森林、草原、湿地、荒漠、城市、竹林六大类型，基本覆盖陆地生态系统主要类型和我国重点生态区域，成为我国林草科技创新体系的重要组成部分和基础支撑平台，在生态环境保护、生态服务功能评估、应对气候变化、国际履约等国家战略需求方面提供了重要科技支撑。

经过多年建设与发展，我国生态站布局日趋完善，监测能力持续提升，积累了大量长期定位观测数据。为准确评价我国陆地生态系统质量，推动林草事业高质量发展和现代化建设，我们以生态站长期定位观测数据为基础，结合有关数据，首次组织编写了国家陆地生态系统定位观测研究站系列研究报告。

本系列研究报告对我国陆地生态系统质量进行了综合分析研究，系统阐述了我国陆地生态系统定位观测研究概况、生态系统状况变化以及政策建议等。研究报告共分总论、森林、草原—东北地区、湿地、荒漠、城市生态空间、竹林—闽北地区 7 个分报告。

由于编纂时间仓促，不足之处，敬请各位专家、同行及广大读者批评指正。

丛书编委会
2021 年 8 月

序 一

　　陆地生态系统是地质环境与人类社会经济相互作用最直接、最显著的地球表层部分，通过其生境、物种、生物学状态、性质和生态过程所产生的物质及其所维持的良好生活环境为人类提供服务。我国幅员辽阔，陆地生态系统类型丰富，在保护生态安全，为人类提供生态系统服务方面发挥着不可替代的作用。但是，由于气候变化、土地利用变化、城市化等重要环境变化影响和改变着各类生态系统的结构与功能，进而影响到优良生态系统服务的供给和优质生态产品的价值实现。

　　1957年，我赴苏联科学院森林研究所学习植物学理论与研究方法，当时把学习重点放在森林生态长期定位研究方法上，这对认识森林结构和功能的变化是一种必要的手段。森林是生物产量（木材和非木材产品）的生产者，只有阐明了它们的物质循环、能量转化过程及系统运行机制，以及森林生物之间、森林生物与环境之间的相互作用，才能使人们认识它们的重要性，使森林更好地造福人类的生存和生活环境。当时，这种定位站叫"森林生物地理群落定位研究站"，现在全世界都叫"森林生态系统定位研究站"。我在研究进修后就认定了建设定位站这一特殊措施，是十分必要的。1959年回国后，我即根据研究需要，于1960年春与四川省林业科学研究所在川西米亚罗的亚高山针叶林区建立了我国林业系统第一个森林定位站，

1

开展了多学科综合性定位研究。

在各级林草主管部门和几代林草科技工作者的共同努力下，国家林业和草原局建设的中国陆地生态系统定位观测研究站网（CTERN）已成为我国林草科技创新体系的重要组成部分和基础支撑平台，在支持生态学基础研究和国家重大生态工程建设方面发挥了重要作用，解决了一批国家急需的生态建设、环境保护、可持续发展等方面的关键生态学问题，推动了我国生态与资源环境科学的融合发展。

国家林业和草原局科学技术司组织了一批年富力强的中青年专家，基于 CTERN 的长期定位观测数据，结合国家有关部门的专项调查和统计数据以及国内外的遥感和地理空间信息数据，开展了森林、湿地、荒漠、草原、城市、竹林六大类生态系统质量的综合评估研究，完成了《中国陆地生态系统质量定位观测研究报告（2020）》。

该系列研究报告介绍了生态站的基本情况和未来发展方向，初步总结了生态站在陆地生态系统方面的研究成果，阐述了中国陆地生态系统质量状态及生态服务功能变化，为准确掌握我国陆地生态状况和环境变化提供了重要数据支撑。由于我一直致力于生态站长期定位观测研究工作，非常高兴能看到生态站网首次出版系列研究报告，虽然该系列研究报告还有不足之处，我相信，通过广大林草科研人员持续不断地共同努力，生态站长期定位观测研究在回答人与自然如何和谐共生这个重要命题中将会发挥更大的作用。

中国科学院院士

2021 年 8 月

序 二

党的十九届五中全会通过的《中共中央关于制定国民经济和社会发展第十四个五年规划和二〇三五年远景目标的建议》提出了提升生态系统质量和稳定性的任务，对于促进人与自然和谐共生、建设美丽中国具有重大意义。建立覆盖全国和不同生态系统类型的观测研究站和生态系统观测研究网络，开展生态系统长期定位观测研究，积累长期连续的生态系统观测数据，是科学而客观评估生态系统质量变化及生态保护成效，提高生态系统稳定性的重要科技支撑手段。

林业生态定位研究始于 20 世纪 60 年代，1978 年，林业主管部门首次组织编制了《全国森林生态站发展规划草案》，在我国林业生态工程区、荒漠化地区等典型区域陆续建立了多个生态站。1992 年，林业部组织修订《规划草案》，成立了生态站工作专家组，提出了建设涵盖全国陆地的生态站联网观测构想。2003 年，正式成立"中国森林生态系统定位研究网络"。2008 年，国家林业局发布了《国家陆地生态系统定位观测研究网络中长期发展规划(2008—2020年)》，布局建立了森林、湿地、荒漠、城市、竹林生态站网络。2019 年又布局建立了草原生态站网络。经过 60 年的发展历程，我国生态站网建设方面取得了显著成效。到目前为止，国家林业和草原局生态站网已成为我国行业部门中最具有特色、站点数量最多、覆盖陆地生态区域最广的生态站网络体系，为服务国家战略决策、提

1

升林草科学研究水平、监测林草重大生态工程效益、培养林草科研人才提供了重要支撑。

《中国陆地生态系统质量定位观测研究报告（2020）》是首次利用国家林业和草原局生态站网观测数据发布的系列研究报告。研究报告以生态站网长期定位观测数据为基础，从森林、草原、湿地、荒漠、城市、竹林 6 个方面对我国陆地生态系统质量的若干方面进行了分析研究，阐述了中国陆地生态系统质量状态及生态服务功能变化，为准确掌握我国陆地生态系统状况和环境变化提供了重要数据支撑，同时该报告也是基于生态站长期观测数据，开展联网综合研究应用的一次重要尝试，具有十分重要的意义。

党的十八大以来，以习近平同志为核心的党中央把生态文明建设纳入"五位一体"国家发展总体布局，作为关系中华民族永续发展的根本大计，提出了一系列新理念新思想新战略，林草事业进入了林业、草原、国家公园融合发展的新阶段。在新的历史时期，推动林草事业高质量发展，不但要增"量"，更要提"质"。生态站网通过长期定位观测研究，既能回答"量"有多少，也能回答"质"是如何变化。期待国家林业和草原局能够持续建设发展生态站网，不断提升生态站网的综合观测和研究能力，持续发布系列观测研究报告，为新时期我国生态文明建设做好优质服务。

中国科学院院士　于贵瑞

2021 年 8 月

前　言

　　荒漠生态系统是我国陆地生态系统的重要组成部分，是干旱、半干旱地区的典型原生生态系统，具有独特的结构和功能。荒漠生态系统定位观测是研究揭示荒漠生态系统结构与功能变化规律的最基本手段。经过多年建设，中国荒漠生态系统定位研究网络已建成26个生态站，布局涵盖我国八大沙漠、四大沙地、青藏高原高寒区和西南岩溶地区等特殊环境，承担我国荒漠生态系统的定位观测、监测评估、科学研究、示范服务和基地建设等任务，面向国家重大战略需求，服务区域社会经济发展，回答社会和科学关切问题，为实现联合国2030年可持续发展目标提供全方位科技支撑。

　　本报告阐述了我国荒漠生态系统定位研究网络布局、发展历程与核心任务；梳理了地质时期和历史时期我国荒漠生态系统格局与演变，分析了20世纪70年代至2018年我国荒漠生态系统格局与变化；构建了荒漠生态系统质量的评估框架和指标体系，集成监测技术，以浑善达克沙地为例定量评估近15年其生态系统质量变化；利用生态站观测数据和第五次全国荒漠化和沙化监测数据，核算2014年我国荒漠生态系统服务价值，分析了2009—2014年间我国荒漠生态系统提质增效及其与经济增长的关系；最后分析了我国喀斯特生态系统格局与变化，定量评估我国喀斯特生态系统服务，提出提升喀斯特生态系统服务的对策建议。

　　本报告主要依托于中国荒漠生态系统定位研究网络数据，同时得到国家重点研发计划"森林荒漠湿地生态质量监测技术集成与应用示范"（2017YFC0503804）、中国科学院野外站联盟项目"北方草原防风固沙和水源涵养服务评估"（KFJ-SW-YW037-02）、中国林业科学研究院中央级公益性科研院所基本科研业务费项目"日光诱导叶绿素荧光反演与植被生产力关联研究"（CAFYBB2020QD002）的资助。

本书编写组

2021 年 8 月

目　录

编写说明

序　一

序　二

前　言

第一章　荒漠生态系统与长期定位观测研究概况 …………… 1

　　第一节　荒漠生态系统概念与类型 ………………… 1

　　第二节　荒漠生态系统的主要特征 ………………… 3

　　第三节　荒漠生态系统长期定位观测概念、意义与进展 ……… 8

　　第四节　荒漠生态系统定位观测研究的核心任务 ……………… 13

　　第五节　中国荒漠生态系统定位观测研究网络布局与发展 ……… 17

第二章　荒漠生态系统格局 ………………………… 23

　　第一节　地质时期荒漠生态系统格局与演变 ………………… 23

　　第二节　历史时期荒漠生态系统格局及其变化 ……………… 27

　　第三节　现代时期荒漠生态系统格局及其变化 ……………… 32

第三章　荒漠生态系统质量评估 ……………………… 44

　　第一节　荒漠生态系统质量的科学概念和评估框架 …………… 44

　　第二节　荒漠生态系统质量的指标体系 ……………… 46

第三节　荒漠生态系统质量的监测技术 …………………… 48

第四节　典型荒漠生态系统质量监测技术的应用 ………… 52

第五节　典型荒漠生态系统的质量评估 …………………… 60

第四章　荒漠生态系统服务评估 ……………………………… 69

第一节　荒漠生态系统服务的界定与分类 ………………… 69

第二节　荒漠生态系统服务的评估指标体系 ……………… 74

第三节　中国荒漠生态系统服务定量评估 ………………… 80

第四节　中国荒漠生态系统服务与经济增长 ……………… 84

第五章　喀斯特生态系统格局与服务评估 ………………… 88

第一节　喀斯特生态系统概述 ……………………………… 88

第二节　喀斯特生态系统空间格局 ………………………… 93

第三节　喀斯特生态系统服务评估 ………………………… 105

第四节　喀斯特生态系统服务提升对策建议 ……………… 120

参考文献 ……………………………………………………… 123

附　录

荒漠生态系统国家定位观测研究站名录 …………………… 137

第一章　荒漠生态系统与长期定位观测研究概况

荒漠生态系统是发育在降水稀少、蒸发强烈、高温干旱环境下，植物群落稀疏的生态系统类型。其主要特征表现为区域气候恶劣、资源贫瘠、组分结构简单、物质循环过程缓慢、系统脆弱。为强化荒漠生态系统观测研究工作，1998 年国家林业局成立中国荒漠生态系统定位研究网络（CDERN，以下简称"荒漠生态网"），经过 20 多年的建设，荒漠生态网已建成生态站 26 个，布局涵盖我国八大沙漠、四大沙地、青藏高原高寒区和西南岩溶地区等特殊环境，承担我国荒漠生态系统的定位观测、监测评估、科学研究、示范服务和基地建设等任务。依托荒漠生态网，组织大型沙漠、戈壁综合科考，填补我国荒漠科考的最后空白；探索荒漠化综合治理的中国方案，集成极端干旱沙漠绿洲生态经济型防护体系模式、干旱区次生盐渍化土地防治模式、半干旱农牧交错区荒漠化防治"三圈"模式和青藏高原高寒草原沙化防治模式等四大典型区域的经典模式，制定相关行业和学科标准(王建兰和尹维纳，2007)。进入新时代，荒漠生态网立足行业优势，加强联网—并网协作，优化站网布局，精进观测技术，拓展研究尺度，面向国家重大战略需求，服务区域社会经济发展，回答社会和科学关切问题，为实现联合国 2030 年可持续发展目标提供全方位科技支撑。

第一节　荒漠生态系统概念与类型

一、荒漠生态系统概念界定

生态系统(ecosystem)一词首先由英国植物生物学家 Tansley 于 1936 年提出。目前，生态系统这一概念已得到广泛的使用。2001 年，联合国组织了来自 95 个国家的 1300 多名科学家，首次对全球生态系统开展了多层次的综合评估；2005 年，正式发布了《千年生态系统评估》(*Millennium Ecosystem Assessment*，MEA) 的研究报告。该报告把生态系统定义为由植物、动物和微生物群落，以及无机环境相互作用而构成的一个动态、复杂的功能单元。

荒漠生态系统是陆地生态系统的重要组成部分，是我国西北干旱与半干旱地区的代表性生态系统类型。荒漠生态系统 (desert ecosystem) 是指由旱生、超旱生的小乔木、灌木、半灌木和小半灌木以及与其相适应的动物和微生物等构成的群落，与其生境共同形成物质循环和能量流动的动态系统 (卢琦等，2016)。荒漠生态系统是发育在降水稀少、蒸发强烈、高温干旱环境下，植物群落稀疏的生态系统类型。我国荒漠化潜在发生范围面积为 452 万平方公里，荒漠生态系统面积大约 165 万平方公里，主要分布于西北干旱和半干旱区，涵盖八大沙漠、四大沙地与戈壁。

二、荒漠生态系统主要类型

荒漠生态系统是陆地生态系统中最为脆弱的系统之一 (卢琦等，2004)，其主要特征是干旱多风、水资源贫乏、地表以物理风化为主，且土壤成土过程缓慢、植被稀疏、生物量和生物多样性相对较低、食物链结构简单 (卢琦，2000)。荒漠的形成受诸多因素影响，如气候、土壤和人类活动等。任何因素的过度强烈都可能导致荒漠的形成。荒漠生态系统的类型根据不同的参照标准，有不同的分类方法。荒漠生态系统按照降水量可划分为 3 种类型，即半荒漠、普通荒漠和极旱荒漠，年降水量分别为 100~200 毫米、50~100 毫米和 50 毫米以下。按土壤基质类型可以分为沙质荒漠 (沙漠)、砾石荒漠 (砾漠)、石质荒漠 (石漠)、黄土状或壤土荒漠 (壤漠)、龟裂地或黏土荒漠、风蚀劣地 (雅丹) 荒漠与盐土荒漠 (盐漠) 等。根据建群层片的生活型，我国荒漠可分为小乔木荒漠、灌木荒漠、半灌木小灌木荒漠和垫状小半灌木高寒荒漠。根据荒漠生态系统植物群落和环境的特征，任鸿昌等 (2004) 以资源环境数据库中植被空间分布信息为本底，结合调查和遥感资料，利用 GIS、RS 和统计学方法，以植被群落和环境特征为主体，将我国荒漠生态系统划分为 5 种植被类型、15 个生态系统类型 (表 1-1)。

表 1-1 荒漠生态系统类型

植被类型	生态系统类型	分布区域
矮半灌木荒漠	含头草低山岩漠	鄂尔多斯高原、塔里木盆地西端、准噶尔盆地
	假木贼砾漠	
	琵琶柴砾漠	
	蒿属—短期生草壤漠	
半乔木荒漠	梭梭沙漠	古尔班通古特沙漠、天山山脉南麓、阿拉善高原北段、柴达木盆地
	梭梭柴—琵琶柴壤漠	
	梭梭砾漠	
多汁盐生矮半灌木荒漠	盐爪爪盐漠	塔克拉玛干沙漠东北端、柴达木盆地东南端、贺兰山以北
灌木—半灌木荒漠	膜果麻黄砾漠	东至鄂尔多斯高原、南至青藏高原北部、西至塔里木盆地西段和北至准噶尔盆地的广大地区
	驼绒藜沙砾漠	
	三瓣蔷薇—沙冬青—四合木沙砾漠	
	油蒿—白沙蒿沙漠	
	沙拐枣沙漠	
	极稀疏柽柳沙漠	
高寒匍匐矮半灌木荒漠	垫状驼绒藜—藏亚菊沙砾漠	青藏高原北部、昆仑山、阿尔金山

第二节 荒漠生态系统的主要特征

荒漠生态系统的主要特征为气候环境恶劣、土壤贫瘠、系统结构简单、物质能量循环缓慢、生态系统脆弱、保护与修复压力大。

一、气候环境恶劣

荒漠地区降水稀少、年际变化大，降水强度小、持续时间短、间隔时间长。根据 1960—2011 年中国气象局公布的全国日气象数据统计，半干旱区降水年际变率平均值为 15%~25%，干旱区为 25%~35%，极端干旱区为 35%~50%。以敦煌（多年平均降水量 39.5 毫米）、民勤（多年平均降水量 115.3 毫米）、阿拉善左旗（多年平均降水量 208.2 毫米）、通辽（多年平均降水量 366.3 毫米）为例，1960—2011 年 4 个地区降水年际变化分别为 78.6%、39.9%、32.9%、27.1%，年际降水最大变幅分别高达 653%、

296%、151%、141%（卢琦等，2019）。

在多年平均降水量小于 500 毫米的区域，年降水发生天数多在 120 天以下，年降水次数多在 45 次以下，单次降水量通常不超过 12 毫米，日平均降水强度在 6 毫米以下；在多年平均降水量小于 250 毫米的区域，年降水天数多在 60 天以下，年降水次数多在 30 次以下，单次降水量通常不超过 6 毫米，日平均降水强度在 4 毫米以下；在多年平均降水量不足 100 毫米的区域，年降水天数多在 40 天以下，年降水次数多在 25 次以下，单次降水量通常不超过 4 毫米，日平均降水强度在 3 毫米以下（卢琦等，2019）。依据单次降水量，把各降水区降水分为 6 组，分别为 0～5 毫米、5～10 毫米、10～20 毫米、20～40 毫米、40～80 毫米、>80 毫米。统计结果显示，随着降水量的降低，小量级降水的降水总量及降水次数占比逐步增加。在 0～200 毫米的降水区，单次 0～5 毫米的降水次数和降水总量的占比分别可达 79.91%、31.74%（卢琦等，2019）。

荒漠区地表裸露、地温变化剧烈，同时降水稀少、大气层透明度较高，导致气温夏季炎热、冬季寒冷，日较差和年较差巨大。除山区外，我国干旱区极端最高气温均在 40℃ 以上，吐鲁番盆地 6、7、8 月平均气温均超过 38℃，极端最高气温可达 47.7℃，极端最高地温曾达到过 82.3℃（陈曦等，2010）。我国气温年较差比同纬度高，气温年较差在哈密、淖毛湖区域为 40℃，阿拉善高原为 35～40℃，塔里木盆地大多为 30～35℃、盆地东南部超过 35℃，伊犁河谷、河西走廊为 30℃ 左右（陈曦等，2010）。

荒漠区潜在蒸发量极高，通常在 2000～3000 毫米，一些地区甚至超过 4000 毫米；干燥度指数（潜在蒸发量与降水量之比）通常达到 4～10，中国干燥度指数最高的地区出现在塔里木盆地、柴达木盆地和内蒙古西北部的戈壁区，这些区域潜在蒸发量与降水量之比可达 100 以上（李江风等，2012）。

我国荒漠区中，北疆或一些山地迎风坡降水相对丰富，年平均相对湿度可达到 60%；塔克拉玛干沙漠、库姆塔格沙漠和内蒙古西北的戈壁区，年降水量通常低于 50 毫米，为中国极端干旱区，年平均相对湿度通常小于 45%；高寒荒漠区（青藏高原）大部分地区相对湿度在 40% 左右，青藏高原东南部和南部区域受降水影响，相对湿度可达到 50%。从季节分布看，夏季降水集中，荒漠区空气湿度增加。但降水极为稀少的极干旱区或降水间隔时间较长的一些干旱区，夏季空气将变得更为干燥。例如，敦煌绿洲外围的荒漠区，在6~9月，空气相对湿度多在10%~30%之间，在库姆塔格沙漠内部，白天空气相对湿度多在10%以下（卢琦等，2019）。

受大气环流和荒漠局部地形与地貌影响，荒漠地区多风，且风力通常较大，同时荒漠区地表多裸露，沙尘丰富，使沙尘天气成为荒漠区重要的气候特征之一。沙尘暴主要发生于春季，其中，我国西北地区主要发生在4~5月，而青藏高原北部沙尘暴主要发生于夏季，青藏高原南部则主要发生于冬季。20世纪50年代以来，我国除青藏高原的部分地区外，沙尘暴日数总体上呈递减趋势。

二、土壤贫瘠

我国荒漠地区地带性土壤类型主要有分布于暖温带荒漠草原的灰钙土、温带荒漠草原的棕钙土、温带荒漠草原与温带荒漠过渡带的灰漠土、温带荒漠灰棕漠土和暖温带荒漠棕漠土。除此之外，还有盐碱土、风沙土和草甸土为代表的非地带性土壤，分布面积也十分广泛。

灰钙土是荒漠草原的地带性土壤，地面植被以半灌木为主，其腐殖质积累过程明显减弱，但由于其具有季节淋溶及黄土母质特点，其腐殖质染色较深，腐殖质层扩散而不集中，一般可达50~70厘米。棕钙土的植被中旱生及超旱生灌丛的比例增加，植被覆盖度15%~30%，鲜草产量仅750~1500千克/公顷，地下生物量远大于地上，每年死亡的数量明显少于干草原，土壤有机质积累量很少，且腐殖质结构比较简单，以富里酸为主。灰漠土分布地区植被覆盖度一般不到10%，植物残落物数量极其有限，在干热的气候条件下，有机质易于矿化，土壤表层的有机质含量通常在5克/千克以下，很少超过12克/千克，水热条件直接作用于母质而表现出非生物的地球化学过程。灰棕漠土地表常有砾幕，砾石上有黑褐色的荒漠漆皮，土壤表层为发育良好的海绵状结皮层，厚1~3厘米。亚表层为褐棕或红棕色紧实层，厚度为5~10厘米。棕漠土的地表通常亦为黑色的砾幕，全剖面主要由砾石或碎石组成，但剖面分化明显。表层为发育很弱的孔状结皮，厚度小于1厘米。在结皮下为棕色或玫瑰红色的铁质染色层，细土颗粒增加，但无明显结构，土层厚度只有3~8厘米（卢琦等，2019）。

受强烈蒸发影响，荒漠区土壤偏碱性，土壤浅层或表层荒漠地区土壤常出现钙积层或形成盐碱壳；由于土壤表层或浅层生物活动微弱，土壤腐殖质含量通常不超过 0.5%、全氮含量通常不超过 1 克/千克。受自然和人为干扰，很多区域土壤出现不同程度的退化状态(陈曦等，2010)。

三、系统结构简单

受地理环境限制，荒漠区植物结构简单并表现出强烈的旱生适应特征。我国干旱荒漠区有种子植物 82 科 484 属 1704 种，分别占全国种子植物科、属、种的 24.35%、7.17% 和 25.11%；含 5 种或 5 种以上的属有 92 属，仅占总属数的 19.01%；单种属 236 属，含 236 种，占总属数的 48.76%，总种数的 13.85%；小属(含 2~15 种)共 23 属，含 989 种，占总属数的 47.52%，占总种数的 58.04%；较大属(含 16~30 种)和大属(含大于 30 种)仅有 14 属，共 479 种，仅占本区总属数的 2.89%，占总种数的 28.11%(陈曦等，2010)。

荒漠区植物群落层片结构及物种组成单一，群落层片通常由灌木层和草本层组成，一些区域仅有草本层或灌木层单一层片，甚至在某些环境下形成单优势种群落。我国荒漠植被可分为温带矮半乔木荒漠，温带灌木荒漠，温带草原化灌木荒漠，温带半灌木、矮半灌木荒漠，温带多汁盐生矮半灌木荒漠，温带一年生草本荒漠，高寒垫形矮半灌木荒漠等 7 大类(卢琦等，2019)。温带矮半乔木荒漠是由强旱生的矮半乔木为建群层片组成的荒漠植被类型。主要分布在我国准噶尔盆地、塔里木盆地、噶顺戈壁、中央戈壁、马鬃山、阿拉善高原、河西走廊和柴达木盆地。矮半乔木荒漠的建群种由梭梭属的梭梭和白梭梭组成，株高 2~4 米，具有每年部分脱落且可进行光合作用的绿色枝条。温带灌木荒漠是强旱生或典型旱生的灌木或小灌木为建群层片形成的荒漠植被。它是我国荒漠区占优势的地带性植被类型。灌木荒漠广布于准噶尔盆地、塔里木盆地、噶顺戈壁、中央戈壁、河西走廊、阿拉善高原和鄂尔多斯高原西部。它的生境严酷，年降水量一般不超过 150 毫米，地下水位深度超过 15 米；地貌为山麓洪积扇、山间盆地、谷地、干燥的剥蚀残丘、沙丘地等。所适应的土壤有灰棕荒漠土、棕色荒漠土、荒漠灰钙土、盐土。温带草原化灌木荒漠是由荒漠草原带向荒漠带过渡的一种类型，即由强旱生灌木为建群层片，大量出现草原旱生禾草为从属层片的一种荒漠类型，属地带性类型。主要分布在阿拉善东部、鄂尔多斯高原西部和河西走廊东部。温带半灌木、矮半灌木荒漠是由强旱生半灌木和矮半灌木为建群种形成的植物群落。广泛分布于准噶尔盆地、塔里木盆地、哈密盆地、吐鲁番盆地、嘎顺戈壁、马鬃山、阿拉善高原、河西走廊、天山南坡、阿尔金山北坡和昆仑山北坡。常生于山麓冲积平原、山麓洪积扇、干燥剥蚀低山和沙丘。温带多汁盐生矮半灌木荒漠是由高度耐盐的多汁盐生矮半灌木为建群层片所组成的类型。它主要分布在荒漠区的滨湖平原、河流两岸、冲积扇缘和低洼地。它适应于地下水位1~4 米、20 厘米以上的表土层为盐土的地区。温带一年生草本不仅作为荒漠类型中从属层片的成员，而且常常以单元优势种群落出现，但分布面积大小不同，主要以盐生草荒漠为代表。高寒垫状矮半灌木荒漠是以耐高寒、干旱的垫状矮半灌木为建群层片的植物群落的总称。它是青藏高原隆升的年轻产物，既是温带荒漠在高原上的变体，又是高山植被中最耐干旱的植被类型。

在严酷的自然生境下，荒漠地区植物分布稀疏、植物盖度随降雨的减少而降低，植物通过增加根冠比、增加角质层与叶片表面绒毛、降低高度、减少叶面积、减少气孔密度以及改变生化组分、调整生命节律等手段适应干旱、高温等环境(卢琦等，2019)。

四、生产力低，物质能量循环缓慢

荒漠区资源贫瘠、植被稀疏、初级生产力低下，物质能量循环缓慢。荒漠与草原生态系统年初级生产力通常在 0~250 克/平方米和 250~1500 克/平方米，低于森林年初级生产力 600~2500 克/平方米(卢琦等，2019)。荒漠区的碳输入量区域及年度间差异很大，在同一温度带随降水的增加而增加，在同一降水区随温度的增加而增加，在同一降水和温度区，随沙地固定程度的增加而增加，随荒漠化程度的加重而降低。同时，荒漠区土壤呼吸速率较低，我国森林土壤呼吸速率多为 483~1065 克/(平方米·年)，半干旱区科尔沁沙地仅为 225~340 克/(平方米·年)，而西部的干旱、极干旱区沙漠土壤呼吸更低(卢琦等，2019)。另外，土壤呼吸随沙丘固定程度的增加而增加，随荒漠化程度的加重而降低(卢琦等，2019)。

五、生态系统脆弱、保护与修复压力大

由于荒漠生态系统结构简单、初级生产力低，生物组成结构的营养级较少、食物链相对简单，因此生态系统脆弱、稳定性差，系统平衡容易遭到破坏，保护与修复压力大。加上荒漠生态系统多位于偏僻落后地区，历史调查研究积累薄弱，长期连续监测数据资料缺乏，为确保与全国生态保护工作齐头并进，在新时期生态文明建设中需要强化荒漠生态系统定位观测研究。

第三节 荒漠生态系统长期定位观测概念、意义与进展

荒漠生态系统长期定位观测是研究揭示荒漠生态系统结构与功能变化规律而采用的最基本的手段。荒漠生态系统长期定位观测不仅是荒漠科学研究的一项基础性工作，也是荒漠化防治的关键环节，已经成为及时、全面和准确掌握荒漠生态系统现状和动态变化的主要信息来源。由此获取的数据信息和研究成果也为制定政策和规划提供了重要的决策依据。

一、荒漠生态系统长期定位观测的概念

荒漠生态系统长期定位观测通过在典型的荒漠生态系统地段布局观测站点，采用科学的方法与手段对荒漠生态系统的一系列指标进行长期的定位观测，揭示系统的组成、结构、能量流动和物质循环在自然和人类活动影响下的现状和动态变化过程，阐明荒漠生态系统发生、发展和演化规律的动力机制。通过野外长期定位观测，可以从水分循环和生物地球化学循环入手，系统分析荒漠生态系统对生态和环境影响的物理、化学与生物学过程。从格局—过程—尺度有机结合的角度，研究水、土、气、生界面的物质转换和能量流动规律，定量分析不同时间尺度上生态过程演变、转换与耦合机制。

二、荒漠生态系统长期定位观测的科学意义

荒漠生态系统长期定位观测是生态系统野外监测的重要组成部分，专

为生态系统的研究和管理服务。通过对典型荒漠生态系统的长期规范化观测，揭示不同时期荒漠生态系统的组成、结构、能量流动和物质循环的自然状态，以及其在外界干扰下的反应和动态变化过程，并建立荒漠化动态监测、评价和预警体系，为地区、国家、区域和全球等不同层次的风沙灾害研究、荒漠化防治、沙尘暴监测和区域经济可持续发展提供基准数据和科学依据。

首先，通过野外长期定位观测数据的积累，可为荒漠生态系统的研究和管理提供一个可信、完整的数据库。从荒漠生态系统的研究来看，从自然界获取第一手试验和调查资料是研究工作的基础。研究者通过对水、土、气、生等生态要素的大量野外观测数据汇总和整理，才能分析生态系统的结构和功能动态变化规律并做出预测。从荒漠生态系统的管理角度来说，长期定位观测是获取荒漠生态系统信息的唯一渠道，也是为应对荒漠生态系统变化做出科学预测和决策的重要依据。因此，在各典型荒漠地区开展长期观测工作，建立一个可信、完整的荒漠生态系统数据库，以加强荒漠生态系统的研究和管理，是荒漠生态系统长期定位观测的一个重要目的。

其次，荒漠生态系统长期定位观测是为了更好地跟踪生态系统结构和功能出现的变化，特别是荒漠化的演变过程。荒漠生态系统是陆地生态系统中最为脆弱的一个子系统，其结构和功能相对简单。和其他生态系统相同，荒漠生态系统处于一种动态平衡中，生物群落与自然环境在平衡点的一定范围波动。但是，在气候变化和人类活动的干扰下，荒漠生态系统结构和功能最容易远离平衡，系统结构遭到破坏，稳定性和生产力降低，抗干扰能力和平衡能力减弱。长期定位观测就是要通过对荒漠生态系统水、土、气、生等指标建立长期的观测，获取荒漠生态系统各要素的实时、动态信息，以便及时掌握和预测荒漠生态系统结构和功能变化，提高荒漠化的预警能力，减少自然灾害的影响。

再次，荒漠生态系统长期定位观测要关注全球变化背景下荒漠生态系统的响应，提供气候变化后荒漠化的发生、发展动态信息，并预测生态系统的变化和产生的后果。全球变化的研究，是当今生态学领域中最受关注的问题。荒漠化是全球变化的研究对象之一，加强荒漠生态系统在全球变化中的作用和全球变化对荒漠生态系统影响的研究非常重要。只有通过加强荒漠及荒漠化地区的长期观测，才能从观测数据资料中提取全球变化的信息，并据此做出科学的判断。

最后，长期定位观测可以实现对荒漠生态系统最为脆弱和敏感地区的重点监测。生态脆弱带和敏感区多是自然灾害的多发区和发源地。对这些地区进行重点监测，及时获取生态系统各指标的动态信息，分析生态系统有可能出现的变化趋势，减少不应有的人类干预，可以有效地防范自然灾害的发生。同时，对生态敏感区域的动态监测可以获取荒漠生态系统对全球变化及其对人类经济活动响应的信息，有助于了解环境演变的动力机制。

三、国外荒漠生态系统长期定位观测的发展历程与现状

全球范围荒漠生态系统的长期定位观测可以追溯到20世纪初。在20世纪20年代，苏联在卡拉库姆沙漠建立了捷别列克生态定位研究站；50年代，又在俄罗斯大草原建立了生态研究站；60年代，土库曼斯坦针对中亚半干旱草原区因滥垦草原造成大面积土地退化开展了生态环境治理研究；与此同时，苏联还与蒙古国联合组建了俄罗斯—蒙古生态学综合考察队，对蒙古国的各类生态系统进行了长期的考察以及定位、半定位研究，并于1991年完成了《蒙古生态系统环境图》。

20世纪30年代，美国针对中西部半干旱区因大面积滥垦草原造成的土壤严重侵蚀和沙尘暴频繁发生等现象，开展了比较系统的研究；60年代，对北美的高草原、杂草草原和低草原进行系统的生态定位研究，已经从植物个体拓展到群落和生态系统水平，通过对生态系统中碳、氮等物质在植物和土壤中的迁移转化、土壤空间异质性的变化、水分的入渗和植物对水分的吸收与蒸腾、植物种丰富度和植物密度的变化、植物冠层对土壤异质性的影响等方面的分析，研究半干荒漠区草地退化过程、机制和成因，并将荒漠化与全球气候变化联系起来，探求荒漠化对全球变化的响应机制和贡献。

20世纪90年代，围绕着荒漠生态系统研究与荒漠化防治而进行的长期观测在世界主要荒漠化地区获得了空前的发展，并且成为生态环境监测的重点领域。非洲萨赫勒（Sahel）地区是国际上开展荒漠生态系统野外监测与观测比较成熟的地区，由撒哈拉和萨赫勒观测台（Sahara and Sahel Observatory，OSS)组织提出了长期生态观测台站计划(ROSELT Program)。美国、以色列和澳大利亚等国家，也从防治土地退化的目的出发，利用地球资源卫星和"3S"技术对荒漠生态系统的发展进行了大尺度监测评价，利用先进的同位素示踪技术开展各种环境下土壤风蚀速率的定量评价、土壤养分、水分及有机质动态监测等方面大量工作。中亚的土库曼斯坦、哈萨克斯坦等国家在荒漠化评价方面进行过一些研究。此外，葡萄牙、西班牙、法国、意大利和希腊五国于1995年开始联合对欧洲南部地中海沿岸的沙化土地现状、动态及其逆转情况开展定位观测和监测，制定了统一的取样方法和监测指标，利用遥感和GIS技术，监测土地利用、植被生产力和土地退化状况。

1980年，美国率先启动了长期生态研究计划并成立了美国长期生态研究网络。美国长期生态研究计划的实施是在国家乃至更大尺度上进行长时间、大尺度生态观测和研究工作的新起点。之后，国际上相继出现了多个大规模的长期生态研究网络，全球尺度的生态观测网络有国际长期生态学研究网络(International Long Term Ecological Research Network，ILTER)、全球环境监测系统(Global Environment Monitoring System，GEMS)、全球陆地观测系统(Global Terrestrial Observing System，GTOS)、联合国陆地生态系统监测网络(The UN Terrestrial Ecosystem Monitoring Sites，TEMS)等。国家尺度的有美国长期生态学研究网络(United States Long Term Ecological Research Network，USLTER)、美国国家生态观测站网络(National Ecological Observatory Network，NEON)、英国环境变化网络(The United Kingdom Environmental Change Network，ECN)。目前，全球陆地生态系统(包括荒漠生态系统)野外长期定位观测在监测原理、技术与方法等领域日臻完善，并向着实时、高效和网络化的方向发展，大大推进了荒漠生态系统研究和社会经济的可持续发展。

四、我国荒漠生态系统长期定位观测的发展历程与现状

我国荒漠生态系统长期定位观测研究发展可以分为3个阶段。20世纪50年代，在我国防沙治沙及沙漠科学研究的起步阶段，第一代沙漠研究科研工作者分别在沙坡头、民勤、章古台、磴口、榆林、灵武、托克逊、沙珠玉、格尔木等地建立了治沙综合试验站和中心站。同时期，新中国首

批治沙队伍(包括沙漠考察队)、治沙研究所、防风治沙林场相继成立,如中国科学院治沙队、中国科学院地理研究所沙漠研究室、青海沙珠玉防风治沙林场等(王涛和赵哈林,2005;包岩峰等,2018)。1978年,林业部组织编制了《全国森林生态站发展规划草案》(以下简称"规划草案")。随后,在林业生态工程区、荒漠化地区选取典型区域,陆续布局建立了多个生态站。1992年林业部修订了规划草案,成立生态站工作专家组,初步提出生态站联网观测的构想,为建立生态站网奠定了基础。1998年,国家林业局成立中国荒漠生态系统定位研究网络(CDERN,以下简称"荒漠生态网")。2006年,国家林业局发布《国家林业科技创新体系建设规划纲要(2006—2020年)》(国家林业局,2006),明确提出"根据林业科学实验、野外试验和观测研究的需要,新建一批森林、湿地、荒漠野外科学观测研究台站,初步形成覆盖主要生态区域的科学观测研究网络"。2007年,国家林业局正式成立"陆地生态系统野外观测研究与管理中心",设立森林、湿地、荒漠3个生态系统定位研究网络分中心,正式形成中国陆地生态系统定位观测研究站网(China Terrestrial Ecosystem Research Network,CTERN)。甘肃民勤站、宁夏盐池站、青海共和站、云南元谋站成为首批加入荒漠生态网的4个生态站。2008年,国家林业局发布《国家陆地生态系统定位观测研究网络中长期发展规划(2008—2020年)(修编版)》,中国荒漠生态系统定位研究进入快速发展阶段。

除国家林业部门外,中国科学院、农业、教育、水利、环保、气象等部门也在我国荒漠区建有一批生态系统定位观测研究网络。其中,最为著名的是中国生态系统研究网络(Chinese Ecosystem Research Network,CERN)和国家生态系统观测研究网络(National Ecosystem Research Network of China,CNERN)。

中国生态系统研究网络始建于1988年,是中国科学院知识创新工程的重要组成部分。目前该研究网络由16个农田生态系统试验站、11个森林生态系统试验站、3个草地生态系统试验站、3个沙漠生态系统试验站、1个沼泽生态系统试验站、2个湖泊生态系统试验站、3个海洋生态系统试验站、1个城市生态站,以及水分、土壤、大气、生物、水域生态系统5个学科分中心和1个综合研究中心所组成。CERN不仅是我国开展与资源、生态环境有关的综合性重大科学问题研究实验平台,还是生态环境建设、农业与林业生产等高新技术开发基地，中国生态学研究与先进科学技术成果的试验示范基地，培养生态学领域高级科技人才基地，国内外合作研究与学术交流基地和国家科普教育基地。

国家生态系统观测研究网络是通过遴选不同主管部门优秀野外生态站，跨部门、跨行业、跨地域建设的国家科技基础条件平台。其目的是在国家层次上，统一规划和设计，将各主管部门的野外观测研究基地资源、观测设备资源、数据资源以及观测人力资源进行整合和规范化，有效地组织国家生态系统网络的联网观测与试验，构建国家的生态系统观测与研究的野外基地平台、数据资源共享平台、生态学研究的科学家合作与人才培养基地。通过遴选，我国荒漠区已有 10 多个长期野外观测研究站点入选国家生态系统观测研究网络。

目前，以国内科研院所、高校为技术支撑，以自然保护地、沙漠公园、治沙林场等为总部基地的荒漠生态监测研究网框架已基本形成。

第四节 荒漠生态系统定位观测研究的核心任务

长期定位观测研究是荒漠生态系统野外监测研究的重要组成部分。通过野外长期定位观测数据的积累，可以更好地跟踪生态系统结构和功能变化过程与规律，深入了解全球变化背景下荒漠化的发生、发展动态信息并预测生态系统的变化和产生的后果，为荒漠生态系统的研究和管理提供一个可信的、完整的数据库，从而为建立荒漠化动态评价和预警体系，为地区、国家和全球等不同层次的风沙灾害研究、荒漠化防治、沙尘暴监测和区域经济社会可持续发展提供基准数据和科学依据。目前，荒漠生态系统长期定位研究承担的核心任务主要包括监测、研究、示范和教育宣传。

一、长期观测

开展长期定位监测是生态系统研究的基础。目前，荒漠生态系统长期定位观测内容主要包含气象、土壤、水文、生物等四个方面内容。

地面气象观测主要包括对能够表征干旱荒漠区域内气象特征的温度、湿度、气压、风、云、降水、辐射等指标的观测。通过地面气象指标的长期观测，可以获取区域气象（气候）特征及变化过程，还可以直接或间接获得荒漠生态系统的以下信息：①能量平衡（即荒漠对太阳辐射能的吸收利用和转化的规律），包括荒漠的净辐射、空气增温、土壤温度等分量的变化规律；②荒漠生态系统对大气降水的分配、移动、收支规律及其效应；③荒漠的动量平衡，包括戈壁对大气中的热量和水汽的影响等；④特殊气象条件，包括旱灾、雪害、沙尘暴等。

土壤观测主要包括对土壤地表状况、土壤水分、土壤温度、土壤物理性质、土壤化学性质等指标的观测。地表状况主要指地表的覆沙厚度、沙丘移动距离和土壤风蚀量等。土壤物理性质包括土壤腐殖质层厚度、容重、机械组成以及土壤水分等指标，其状况可以表征土壤的水、热、肥、气的情况和协调程度。土壤化学特性主要包括土壤的酸碱度、阳离子交换量、交换性钙和镁、交换性钠、有机质、烧失量，以及各种营养元素、微量元素和重金属元素含量等。

水文观测主要包括对指示荒漠生态系统水文过程指标的观测，包括径流、蒸发（散）、凝结、土壤水和地下水等。通过水文生态过程的长期观测，获取长期野外观测资料，掌握生态系统水量平衡规律、生态水文过程特征，为生态系统恢复与重建、荒漠化治理提供科学依据。

生物学观测主要内容包括植物群落种类组成与结构、生物多样性状况、植物群落物质生产与循环、植物群落动态、动物群落种类组成与结构、微生物种类组成与结构等。通过对荒漠生态系统中反映生物状况的重要参数（如动植物种类组成、生物量）和关键生境因子的长期观测，可以达到以下目的：①了解不同时段生态系统结构与功能状况；②揭示荒漠生态系统和生物群落的动态变化与演替规律；③了解和分析生物多样性的动态变化和趋势；④了解环境变化及其对荒漠生态系统的影响等。

此外，社会经济等方面的观测内容包括土地利用类型和变化、农牧业等产业发展状况、水资源状况及变化、人口数量及变化、区域经济发展状况、生态建设等生态系统保护和修复措施以及荒漠化治理活动等。

中国荒漠生态系统定位研究网络（CDERN）主要任务包括：

（1）构建荒漠生态系统信息平台。包括荒漠生态系统联网监测平台、大数据平台、荒漠区生态质量状况监测数据共享管理平台和中国荒漠生态区功能与服务公报平台。

（2）为国家重要生态工程的监测与评估提供服务。国家重要生态工程包括三北防护林体系建设工程、沙化土地封禁保护工程、退耕还林(还草)工程、京津风沙源治理工程、石漠化治理工程等。

(3)研制观测设备,设立观测样地、创新技术方法。研制 0~50 米垂直梯度、10 公里水平梯度沙尘观测系统(赵明等,2011),并已在民勤站、库姆塔格站、磴口站和盐池站等多个野外站推广应用。2006 年,CDERN 与中国林业科学研究院资源信息研究所合作在磴口县南梁台设立首个 1 平方公里大样地;2013 年,与中国科学院植物研究所合作在锡林郭勒盟正蓝旗桑根达来设立榆树稀树草原 1 平方公里大样地,随后在磴口、民勤、敦煌和库姆塔格沙漠等地设立多个≥1 平方公里的大样地多块(Wang et al.,2019),东西样带超过 1500 公里、跨境样带超过 2000 公里。

(4)开展联网研究,组织网络内多站同步进行野外开放式大型增雨试验。自 2008 年开始分别在 3 个降雨梯度的库姆塔格站、民勤站和磴口站同步开展增雨试验(李永华,2010)。

各生态站长期观测中,建设和运行除恪守相关技术与标准外,要做好"六个坚持"。

坚持监测数据的真实有效性。目前生态站建设运行重购置、轻维护,使用过程中设备校正标准及技术体系缺失,造成很多常规监测任务停滞、应付,数据不准确、不可信,最终导致生态站基础监测能力与科研成果可信度丧失。因此,在生态建设及运行中,需要统筹考虑设备运行维护成本,确保在设备使用过程中获取真实有效的数据。

坚持监测数据的系统性。长期监测不是孤立获取某个指标参数,样地设计及设备购置需要充分考虑获取的数据能够系统反映某一个或几个方面的科学问题,从而促进监测成果的产出与转化。系统监测需要在购置安装设备之前做到问题科学明确、集中,小区监测样地布置合理,监测数据相互呼应。实现这一目标,不仅需要领域内专家的论证指导,同时需要基层一线人员的参与和长期探索。

坚持监测数据的连续性。设立生态站是为了跟踪研究生态系统缓慢而长期的变化过程、预测未来变化趋势、服务区域与国家社会发展,而长期连续的观测数据是不可或缺的。

坚持监测数据的典型性。典型性是指生态站观测数据能够代表或反映区域生态系统特征,反映现实生存状况、揭示并预测未来变化趋势。为此，监测站点设计之初就需要全面了解区域生境，掌握区域内动植物、水文、气象、土壤分布特征，同时对社会经济发展与规划做深入了解。

坚持监测数据的完整性。生态站建设规划在实现上述目标的前提下，对全部典型要素进行整体布控、全面监测。完整性不仅体现了生态系统在整体生态系统的共性监测，同时展示了区域的个性特色；其监测目标不局限于部门或个体的关注对象，能够对区域生态系统整体网络中关键过程与环节做到全面布控。

坚持监测数据的可比性。各生态站之间建设、监测标准与数据格式统一，在区域或国家制度上能够真正形成标准化、网络化监测站网。

二、研究示范

中国荒漠生态系统定位研究网络已开展重要研究示范工作如下：

（1）深入开展荒漠生态学研究，为解决国家急需的关键生态学问题提供支撑。深入开展荒漠生态系统结构、功能、格局等长期变化规律及其互作机理的生态学基础研究，揭示荒漠化、石漠化、草地退化和水土流失的发生和发展过程及其驱动与调控机制，支持生态学基础研究和国家重大生态工程建设，解决一批国家急需的生态建设、环境保护、可持续发展等方面的关键生态学问题，推动我国生态与资源环境科学的发展。开展荒漠化、水土流失等退化生态系统综合治理技术研发，探索不同区域、不同驱动因素下退化生态系统的保护、修复模式，并在极干旱区、干旱区、半干旱区、亚湿润干旱区和青藏高原高寒区开展示范、应用推广。编辑出版了首部研究生教材《荒漠生态学》（卢琦等，2019）。

（2）提供生态环境科技重大发展战略与政策的决策咨询，为国际履约、国家生态建设和社会可持续发展提供数据与技术支撑。在京津风沙源工程评估、三北防护林工程总体规划修编、新疆生产建设兵团农垦生态成效评估、北方草原防风固沙和水源涵养服务评估、大敦煌生态保护与区域发展战略研究、生物碳汇扩增战略研究、新时期国家生态保护与建设研究、科尔沁沙地全域治理战略研究、适应水土资源条件的区域林草布局策略等一系列战略咨询和工程规划中作出了重要贡献。

（3）开展荒漠植物收集、保存与整理，完成沙漠科考等工作。编辑出版了《中国荒漠植物图鉴》（卢琦等，2012），完成了沙漠（含沙地和戈壁）

综合科学考察和荒漠生态系统功能与服务评估工作，出版了专著《荒漠生态系统功能评估与服务价值研究》(卢琦等，2016)。

三、人才培养与科普基地

以荒漠生态站网为支撑，建成我国荒漠生态系统长期科学研究基地、人才培养和教学基地、试验示范基地和公众科普教育基地，服务高校、科研院所本科生、研究生野外实践，面向社会各界、各类人群，宣传普及生态环境保护、修复相关知识；为国内外相关科学研究、学术交流、技术培训提供样地、数据和设施等共享平台；展示、推广生态系统保护与修复的新品种、新技术和新模式。

第五节　中国荒漠生态系统定位观测研究网络布局与发展

目前，我国荒漠生态系统定位观测研究站已初具规模，基本形成布局合理、组织结构完善、观测研究方向明确的观测研究网络。在新的历史时期，在总结前期成果与经验的基础上，更需要面向国家和行业需求，加快顶层设计，完善布局，革新技术，统一标准，推动资源与数据共享。

一、中国荒漠生态系统定位观测研究网络建设布局与研究方向

我国旱区面积约 452 万平方公里，占国土面积 47.08%；西南岩溶石漠化区石漠化面积 12 万平方公里，涉及 8 个省(自治区、直辖市)的 455 个县，占国土面积的 11.2%。按照三北防护林体系建设、京津风沙源治理、石漠化治理等国家重大生态工程的宏观需求，兼顾国家生态工程效益评估的需要，荒漠生态网布局基本涵盖我国八大沙漠、四大沙地，并统筹考虑我国青藏高原高寒区及我国西南、东南地区等特殊区域环境，分别在极端干旱区、干旱区、半干旱区、亚湿润干旱区、青藏高原高寒区和特殊环境区域(包括岩溶石漠化、干热河谷和零星沙地)等六大类型区构建生态站网络(国家林业局，2009)。

中国荒漠生态系统定位研究网络由国家林业和草原局建立。目前，已建成荒漠生态站 26 个(见附录)，分布在极干旱区 3 个、干旱区 6 个、半

干旱区 4 个、亚湿润干旱区 4 个、青藏高原高寒区 2 个，同时在干热河谷、岩溶石漠化、岸线沙地(河、湖、海、盐碱)、红壤丘陵重点侵蚀区等特殊环境区域布局生态站 7 个(图 1-1)。

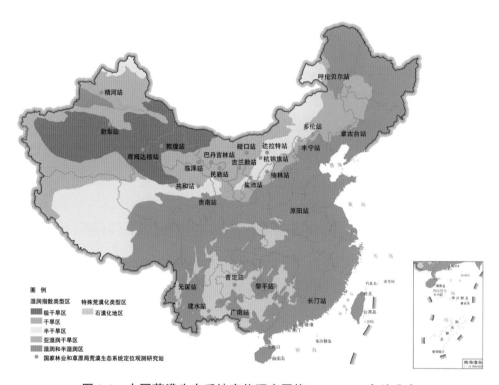

图 1-1　中国荒漠生态系统定位研究网络(CDERN)台站分布

中国荒漠生态系统定位研究网络在做好长期观测的同时，基于联网观测数据，将开展联网研究，重点研究方向包括以下几个：

(1)荒漠生态系统结构—过程与服务功能。基于荒漠生态系统的长期监测和定位研究，研究荒漠生态系统类型物种结构、时空结构、营养结构及其对外界环境变化的响应机制。研究荒漠生态系统水热传输等能量流动过程，揭示不同尺度水文过程及其控制机制，生态系统碳、氮、钾及磷等物质元素循环过程及其控制机制，碳氮水循环过程的耦合关系及其对人类活动与气候变化的响应机制。研究荒漠生态系统生物多样性(物种多样性、遗传多样性和景观多样性)的时空变化及其驱动机制，分析生态系统结构复杂性与生物多样性的相互关系、不同条件下的内稳态与外在调节的动态机制。研究荒漠生态系统水源涵养与水文调节、水土保持与防风固沙、空气净化与碳汇等生态功能的形成和调控机制，分析生态系统支持功能与调节功能之间的依存关系，以及生态系统稳定性对生态系统功能与服务的影响机理，揭示生态系统结构、过程、功能、服务的相互关系，为不同类型陆地生态系统的优化管理提供支撑。

（2）荒漠生态系统健康诊断与预警。荒漠生态系统结构和功能特征及其耦合关系，确定影响生态系统结构和功能健康的主要因素，揭示自然生态系统健康的形成机理，建立不同尺度典型生态系统健康评价指标体系，构建生态系统健康状况诊断方法、健康风险评估与预警技术体系，形成生态系统服务综合管理的适应管理机制。

（3）沙尘过程动态监测及沙尘暴预警减控技术。综合运用定位观测、大样地、自动传感、无人机、卫星遥感等技术，开展水平沙通量计算、沙尘强度、沙尘暴粒子等效半径、光学厚度和大气柱沙尘总量的同步物理反演算法研究；针对白天和夜间数据的特征差异分析，实现对沙尘的昼夜定量自动监测；通过提取多个时次的沙尘信息对比图像，进行沙尘暴的起源地、运移路径、影响区域和未来的推进方向等沙尘过程的动态监测；通过对不同类型地表的土壤风蚀和粉尘释放量、区域植被和土壤信息以及荒漠化过程中植被和土壤指标的变化等的观测和分析，建立不同类型地表的土壤风蚀和粉尘释放量计算模型，沙尘运动和植被之间相互作用模型，揭示不同类型地表的粉尘释放机制。解决基于多源数据的沙尘暴监测同一化、沙尘参数昼夜定量自动监测等问题。建立沙尘暴灾害灾情评估指标体系，构建业务使用的沙尘灾害评估模型，如区域社会经济状况模型、下垫面的土地利用状况模型等，通过对下垫面数据的集成与叠合分析，对沙尘暴发生后的灾害情况进行快速、准确地适时评估。为减少减轻沙尘暴发生，开展多功能防护林营造技术、裸沙快速固定技术、沙地整治技术、区域优良抗逆性植物选育和栽培技术等综合防沙治沙技术体系的研究与示范。

（4）岩溶关键带生物地球化学过程与石漠化演变机制。研究岩溶关键带植被—土壤—表层岩溶带生态水文效应，以及降水、地表、地下水、土壤水、植被水"五水"转化过程；研究降雨侵蚀力、土壤可蚀性、土地利用覆被变化、石漠化演变对水土流失/漏失及岩溶化学侵蚀影响机制，提出我国西南喀斯特区防治土地石漠化的土壤侵蚀容许量阈值，揭示岩溶关键带水土流失过程与石漠化过程互馈机制。研究喀斯特生态系统碳、氮、磷、钙等元素生物地球化学循环过程，揭示碳酸盐岩对植物群落结构、演化的影响，以及对生物碳循环过程、固碳速率的影响，阐明喀斯特区退化植被群落恢复机理，系统评估喀斯特生态系统功能与服务，厘清岩溶关键带碳循环地质—生物耦合机制。

二、荒漠定位研究网络重要科学进展

荒漠定位研究网络已取得重要科学进展集中在以下四个方面：

(1)开展沙漠、戈壁综合科学考察，填补了我国沙漠科考的空白。在科学技术部科技基础性工作专项、中央级公益性科研院所基本科研业务费专项等计划支持下，荒漠定位研究网络先后开展了库姆塔格沙漠综合科学考察、戈壁综合科学考察、库木库里沙山综合考察、沙地综合考察与编目等，基本摸清了我国的沙情，填补了沙漠和戈壁科考的空白区。产出了一批专著和图集等代表性成果，如《库姆塔格沙漠研究》《库姆塔格沙漠风沙地貌》《中国黑戈壁研究》《库姆塔格沙漠综合自然地理图集》《库姆塔格沙漠地貌图》和《中国戈壁分布图》等(库姆塔格沙漠综合科学考察队，2012，2017；董治宝，2011；中国黑戈壁地区生态本底科学考察队，2014；冯益明和卢琦，2017)。

(2)研究荒漠化发生、发展规律，探索综合治理中国方案。完成了中国荒漠化生物—气候分区，并在国家尺度上建立了适用于大范围荒漠化监测与荒漠化评价指标体系框架，为全国荒漠化监测提供了理论与方法；依据《联合国防治荒漠化公约》标准，编绘出中国荒漠化气候分区图，明确界定了中国荒漠化的潜在发生范围(慈龙骏等，2002)。

(3)集成我国四大典型区域的荒漠化综合治理模式(董战峰，2017；国家林业和草原局，2018)，创新性提出了极端干旱沙漠绿洲生态经济型防护体系模式、干旱区次生盐渍化土地防治模式。联合中国科学院进行半干旱农牧交错区荒漠化防治"三圈"模式，以及青藏高原高寒草原沙化防治模式的创建和示范；在干旱区水土资源优化配置、抗逆性植物种质材料选育、盐渍化土地"三系统"治理、造林密度控制等关键科学问题和技术瓶颈等方面进行长期探索并实现了突破，荣获国家科技进步奖一等奖和二等奖、国家国际科技合作奖及省部级科技奖励奖、一等奖等10多项荣誉。

(4)研究和建立行业标准和科技支撑(崔向慧和卢琦，2012)。2008年全国防沙治沙标准化技术委员会成立，荒漠生态网先后牵头编制20多项国家和行业标准，组织审定50多项各类标准，初步建立起一套覆盖全、质量高、宜应用的标准序列，构建了基础术语、观测评价、治理修复、开发利用等多维度标准化体系框架；低覆盖度治沙技术解决了长期困惑干旱区造林密度的难题，以此成果为依托，修改完成了国家标准《造林技术规程》(GB/T 15776—2016)；积极推进国际标准化组织(ISO)荒漠化防治标准化技术委员会的设立事宜，积极向国际推介 4 项行业标准，落实"标准走出去"战略，增强我国在该领域国际社会的话语权和主导地位。

三、荒漠定位研究网络未来建设与发展重点

未来荒漠定位研究网络建设与发展重点做好以下方面的工作：

(1)通过创新驱动、资源整合、以用促建，荒漠生态网将进一步优化结构、科学布局、统一标准、规范运行、推动资源与数据共享。到 2030 年，规划建成包括 100 个左右的生态站(点)，涵盖多种景观类型(如石漠、砾漠、沙漠、泥漠、盐漠、寒漠等)的荒漠生态系统监测、共享、服务公共平台。面临新时代发展机遇，荒漠生态网的发展面临转型，未来将加强与各部门的联合共建，共享科技资源，协同创新，再上新台阶。

2012 年，荒漠生态网与中国生态系统研究网络(CERN)及其他相关部门的荒漠草地类型生态站共同组成"荒漠—草地野外站联盟"(以下简称"荒—草联盟")，发挥各自的平台资源优势，实现荒—草联盟框架内的科技资源共建共享，优势互补，共同拓展发展空间，提高荒漠生态系统研究的创新能力和服务国家生态建设的技术支撑能力。荒—草联盟常年开展工作的区域范围包括我国北方风沙—荒漠区(含盐碱、冻融类型)、黄土高原、西南岩溶与干旱河谷、东南红壤水土流失及典型岸线(河岸、湖岸、海岸)沙地，实现了我国陆地沙漠、砾漠(戈壁)、石漠、土漠、寒漠等重要荒漠类型的全覆盖。

(2)提升野外观测技术，扩大观测试验范围。发展宏观"地面、无人机、卫星遥感"天—空—地立体观测、微观"动物、微生物甚至病毒、支原体等生物观测"分子测序，精准"基因—细胞水平、初级生产者、顶级群落、旗舰物种的全食物链"示踪技术，提升野外观测能力，提高观测精度；拓展调查样地和样带，从普通样地拓展到大样地(1 平方公里)、超级大样地(10 平方公里)和超长大样带(1000~2000 平方公里)。

(3)优化荒漠生态网的布局，拓展野外站的研究尺度。研究对象的尺

度转换与扩大，从站点、基地（如保护地、荒野、林场）、局地、生物气候区，以及流域、自然区域、经济区域充分研究，在问题导向下进行网络顶层设计，补充建设，完善网络。

（4）面向国家和地方重大需求，发挥行业优势，联合中国科学院开展全面科技合作。以"野外站联盟"为纽带，发挥国家林业和草原局生态站"地域性广、面向实际问题"、中国科学院"综合性强、面向科学前沿"各自的平台资源优势，在加强院局联合的基础上，注重林—草、沙—草、林—草—沙融合的有机联系，加强互作机理和机制的研究；建立长效合作机制，共同为国家或行业需求发挥野外站的独特作用。

第二章　荒漠生态系统格局

第一节　地质时期荒漠生态系统格局与演变

地质时期，亚洲内陆干旱化加剧到一定程度，形成一定规模的沙漠，释放大量沙尘并搬运、堆积到下风向地区。下风向地区广泛分布的风尘沉积是沙漠源区干旱化程度的良好记录，其堆积形成过程与干旱气候和沙漠环境变化密切相关，是研究沙漠起源与演化历史的理想材料。

一、中国沙漠的形成演化

古老的风尘沉积已在中生代的侏罗纪和白垩纪发现，但由于中生代古风尘沉积形成年代久远，与现代沙漠景观格局的形成演化关系不大。与现代沙漠形成演化过程密切相关的新生代风尘沉积在中国北方沙区分布广泛，特征明显（董光荣等，1991）。典型的风尘沉积是黄土高原地区的黄土—古土壤和红黏土序列。早期学者基于黄土高原中部洛川剖面的磁学研究，认为风尘沉积始于距今约 240 万年前（Heller and Liu，1982）；随后通过黄土高原中部多个剖面的磁性地层和沉积物理化特性分析等研究，认为风尘沉积在 700 万~800 万年前开始发育（Sun et al.，1998；Ding et al.，1999；Guo et al.，2001；Song et al.，2007）；黄土高原东部的石楼地区发现了约 1100 万年前的风尘沉积（Xu et al.，2009）；黄土高原西部的甘肃秦安剖面和庄浪钻孔研究则将风尘沉积的出现年代提早到了 2200 万~2500 万年前（An et al.，2001；Qiang et al.，2011）。青藏高原东北缘的风尘沉积在 1400 万年前已经开始发育（Lu et al.，2004；王先彦等，2006；Wang et al.，2012），新疆北部准噶尔盆地发现有 2400 万年前的风尘沉积（Sun et al.，2010），而阿尔金山索尔库里北盆地的研究显示风尘沉积发育可能早于 5100

万年前(Li et al.，2018)。由于研究范围和技术方法的差异，不同学者给出的风尘沉积发育年代存在差异，基于风尘沉积记录揭示的亚洲内陆干旱化历史和中国沙漠形成时间仍存在争议。例如，部分学者认为干旱化和沙漠始于中更新世或上新世—早更新世，部分学者则认为干旱化和沙漠在晚中新世或者晚渐新世—早中新世就已形成，甚至是始新世(Lu et al.，2019；王海涛等，2020)。中国沙漠形成时间的争议关键在于标志沙漠变化的直接沉积证据不足且定年困难(Lu et al.，2019)。Lu 等(2019)通过对黄土高原、青藏高原东北缘、东北地区、秦岭地区、长江中下游地区红黏土—黄土堆积的高密度磁性地层和沉积学研究，结合对黄土高原及其周边风尘沉积序列的集成分析，重建了早中新世以来中国北方风尘沉积的时空变化过程。总体而言，风尘沉积分布范围自中新世以来逐步扩大，指示中国沙漠环境经历了距今约 2400 万年、1400 万年、800 万年前、260 万~360 万年前和 100 万年前的阶段性演化过程；在约 800 万年前中国北方干旱区已初具规模，在 260 万~360 万年前，西北和黄土高原等地区的风尘沉积分布范围急剧扩大，在约 260 万年前形成与现代相近的沙漠景观格局(Lu et al.，2019)。

风尘沉积序列不仅反映了沙漠源区的干旱化程度，也体现了风力的大小和方向。现代沙漠和黄土高原等地区一百多个典型沉积剖面的对比研究结果表明，黄土和沙漠沉积记录在时间上存在良好的一致性，在轨道时间尺度上干旱气候、沙漠扩张、风沙活动与风尘沉积范围扩大、沉积速率加快之间存在直接联系(Lu et al.，2010，2019)。亚洲内陆干旱化，导致沙漠扩张、风沙活动增强，下风向风尘沉积速率增加、粗颗粒组分含量增加(Lu and Sun，2000；Sun et al.，2008；Lu et al.，2010)。如此反推，风尘沉积速率的增加、粗粒组分含量增加指示了沙漠扩张和/或风动力增强(董光荣等，1983；Sun et al.，2008；Lu et al.，2009，2010)。早中新世以来，黄土高原的风尘沉积速率总体呈现增加趋势，特别是在约 360 万年、260 万年和 100 万年前，沉积速率出现显著增加(图 2-1)，标志着沙漠源区的干旱化事件(An et al.，2001；Sun et al.，2008；Lu et al.，2010)。北太平洋的深海沉积记录显示，约 1400 万年前以来风尘沉积速率逐步增加，与黄土高原的红黏土—黄土记录一致；特别是在约 400 万年前，风尘沉积速率急剧增加，指示亚洲内陆干旱化加剧、沙漠源区风蚀强度增加(图 2-2)(Rea et al.，1998；Pettke et al.，2002；Zhang et al.，2016)。

200 万～400 万年前黄土沉积速率和粗颗粒组分含量以及北太平洋风尘沉积速率的显著增加指示亚洲内陆当时已形成较大规模的沙漠，晚上新世塔克拉玛干沙漠中部、柴达木盆地和毛乌素沙地南部等地区广泛分布的风尘沉积佐证了这一猜测（Lu et al.，2019）。总体而言，陆相和深海风尘沉积记录显示，中国北方沙漠环境在古近纪已出现，新近纪干旱化加剧，在距今 200 万～400 万年前形成现代沙漠景观。

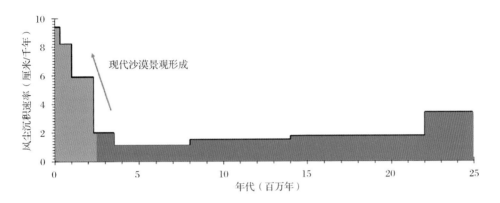

图 2-1 早中新世以来黄土高原的风尘沉积速率（Lu et al.，2010）

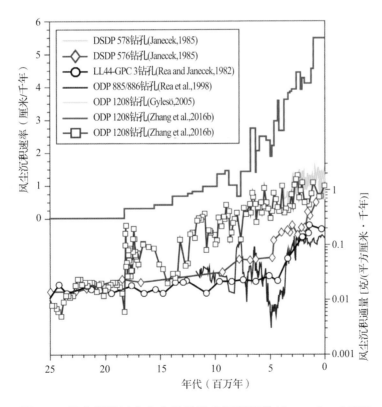

图 2-2 早中新世以来北太平洋风尘沉积记录（Lu et al.，2019）

二、主要沙漠的形成演化历史

风尘沉积剖面和钻孔沉积相、孢粉分析以及地层古风成砂定年结果显示，塔克拉玛干沙漠在上新世已经形成，在早更新世和中更新世逐步变干，中更新世以后沙漠腹地出现巨厚的风成砂堆积，指示沙漠达到现今的规模（Sun et al.，2009；Sun et al.，2011；Fang et al.，2020）。古尔班通古特沙漠的形成演化研究相对较少，准噶尔盆地钻孔的孢粉分析显示，干旱环境可能形成于上新世或者中更新世以后，但鉴于沉积相分析和定年结果的不确定性，具体形成时间有待进一步的研究（郭峰和李再军，2012）。天山北麓黄土剖面的粒度分析显示，古尔班通古特沙漠在 65 万年和 50 万年前有两次明显的扩张，具体沙漠面积不详（方小敏等，2002）。库姆塔格沙漠的综合考察在 21 世纪后才开始进行，地层沉积相记录、区域地层对比以及地层中古风成砂的绝对年代测定结果表明，库姆塔格沙漠至少形成于晚中新世—上新世，且经历了新近纪和第四纪两大演化阶段（库姆塔格沙漠综合科学考察队，2012）。巴丹吉林沙漠由于基本被流沙覆盖，没有天然剖面出露，且沙漠内部地质钻孔资料缺乏，关于其具体形成时间目前还没有一个肯定的答案。地层沉积相分析和风成砂年代测定结果显示，巴丹吉林沙漠可能形成于晚第三纪，但仍需要更多证据（郭峰和李再军，2012；李再军，2013）。腾格里沙漠南部断岘黄土—古土壤剖面研究表明，腾格里沙漠至少在 180 万年前已经形成，并在约 110 万年和 80 万年前后有两次沙漠扩大的过程（杨东等，2006）；沙漠西南缘的沙沟河和中路黄土剖面的研究结果显示，腾格里沙漠至少在 85 万年前已经出现（Guan et al.，2011）；但鉴于沙漠内部地层记录的缺少，腾格里沙漠的形成年代还有待商榷（郭峰和李再军，2012；李再军，2013）。毛乌素沙地东南缘榆林黄土剖面的风成砂年代和区域地层对比分析结果表明，毛乌素沙地至少在 58 万年前已经存在（Sun et al.，1999）；沙地南缘靖边剖面的粒度分析显示，毛乌素沙地分别在 260 万年、120 万年和 70 万年前出现三次大的扩张期（Ding et al.，2005）。

总体而言，塔克拉玛干沙漠比其他沙漠的形成年代更早，各个沙漠在出现以后，经历了多次间断性扩张，其中较为明显的几次分别发生于距今 530 万年、340 万年、260 万年、60 万~120 万年、15 万年，沙漠边缘黄土的出现时间大致都是 80 万年前（郭峰和李再军，2012；李再军，2013）。

三、第四纪以来中国沙漠的空间格局变化

第四纪以来，中国沙漠环境受到轨道尺度气候变化的影响，主要表现为气候干冷期沙漠扩张、沙丘活化，暖湿期沙漠收缩、沙丘固定。基于中国北方沙漠具有代表性的一百多个沙丘和沙/黄土剖面的高密度光释光年代测定和沉积学分析，Lu 等（2013）定量重建了末次盛冰期和全新世适宜期中国沙漠的空间分布格局。研究结果表明，相对于现代沙漠，在末次盛冰期，西部的塔克拉玛干沙漠、古尔班通古特沙漠和库姆塔格沙漠扩张了 10%~20%，中部的巴丹吉林沙漠和腾格里沙漠扩张了 29%~39%，东部的毛乌素沙地、浑善达克沙地、科尔沁沙地和呼伦贝尔沙地的流沙面积分别扩大了 25%、37%、35% 和 270%，青藏高原东北部的共和盆地沙地面积扩大了 20%；在全新世适宜期，毛乌素沙地、浑善达克沙地、科尔沁沙地、呼伦贝尔沙地和共和盆地沙地的流沙面积收缩约 100%，塔克拉玛干沙漠、库姆塔格沙漠和巴丹吉林沙漠周边有 5%~20% 的面积被沙质黄土覆盖，沙漠内部仍以流动沙丘为主（Lu et al.，2013）。

第二节　历史时期荒漠生态系统格局及其变化

历史时期一般是指距今大约 1 万年之际，人类进入新石器时代，开始有了原始农业以后的阶段，自此人类活动开始增强。这一时期的荒漠生态系统格局，主要是在自然因素影响的基础上，加之人类活动的影响而形成和发展的。沙漠、砾漠以及盐漠同属于荒漠的主要类型，而在历史时期，更多关注的是沙质荒漠（沙漠）及沙漠化。关于历史时期沙漠形成与发展的原因还存在很大分歧，一种意见认为其是由于人类不合理的开发利用活动导致干旱半干旱地区脆弱的生态环境受到破坏后而发展形成的；而另一意见则认为，历史时期沙漠的发展只是沙漠长期演化发展过程中最近经历的一个阶段，其变迁的原因主要是自然界本身的发展演变（王守春，1985）。

我国历史时期内沙漠时空变迁根据所处区域气候自然地带的差异，主要分为两种类型：一种是在原来不是沙漠的地方形成了沙漠，分布于我国东部草原及荒漠草原地带，包括科尔沁沙地、呼伦贝尔沙地、毛乌素沙地以及宁夏河东沙区；另一种是在地质时期就已经存在的沙漠的基础上，范

围进一步扩展的沙漠，分布于我国荒漠地带，包括乌兰布和沙漠北部、腾格里沙漠东南边缘、河西走廊北部及内蒙古西部阿拉善地区和塔克拉玛干沙漠边缘(中国科学院中国自然地理编辑委员会，1982)。

一、东部草原及荒漠草原地带的荒漠时空变迁

我国东部草原及荒漠草原地带大部分属于半干旱区，北部的呼伦贝尔属于半湿润区域。在历史时期内其时空变迁究竟是因"气候变异"，还是因"人类活动"，抑或是二者兼有之，一直存在较大的争议，但历史时期该区域沙地的范围呈现单纯扩大趋势是研究者们达成的基本共识(Sun et al.，2000；何彤慧等，2008a，2008b)。其历史时期时空变迁大致可分为3个阶段：史前到汉魏时期、辽金时代和明清时期。

史前到汉魏时期，人类活动对生态环境的影响较为轻微，东部草原及荒漠草原地带的沙地生态状况良好，基本上呈现着草甸草原、疏林草原和森林草原相间的自然地理景观(冯季昌和姜杰，1996)，植被茂密、水丰草美的景象适合从事畜牧和农垦活动。大夏国主赫连勃勃就曾将毛乌素沙地选定为国都统万城建城之地，发出"美哉斯阜！临广泽而带清流，吾行地多矣，自马岭以北，大河以南，未有若此之善者也"的感慨。而史载拓跋鲜卑曾从鲜卑大山(今大兴安岭北段)南迁大泽，这里的"大泽"即呼伦湖，他们曾在呼伦贝尔沙地居住了两个世纪(邹逸麟和张修桂，2013)。虽然在该阶段后期，受自然因素及少量人为因素的影响，在河流沿岸及个别地区出现了少量的带状或者块状流动沙丘，但多数沙丘仍处于固定状态，沙地植被状态良好。

辽金时代，东部草原及荒漠草原地带进入全面开发阶段，大规模的开垦、建城以及战争，对草原植被和地表土层造成极大的破坏，加之在冬季盛行的西北风蚀作用下，该区域出现了前所未有的沙化高潮。呼伦贝尔沙地现存在的几条大沙带，多沿河流分布，可能就是从辽代开始出现的(景爱，2000)。此外，随着环境恶化，该区域上的城池逐渐被流沙掩埋。辽代该区域上(如科尔沁沙地、呼伦贝尔沙地和毛乌素沙地)曾建城数量多达几十余座，但到了金代仍存用的城池屈指可数(侯仁之，1964，1973；景爱，2000)(图2-3)。金代诗人王寂曾两次途径懿州古城(今为辽宁省阜新蒙古族自治县塔营子，位于科尔沁南缘)，对所见之描述分别为"塞路飞沙没马黄"

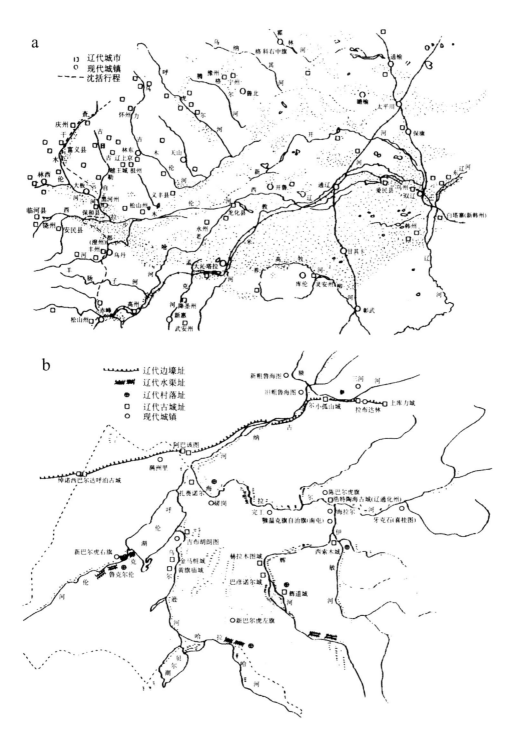

图 2-3 科尔沁沙地(a)和呼伦贝尔沙地(b)上的辽代古城(景爱,2000)

和"大风飞沙暗天,咫尺莫辨,驿吏失途"。而晚唐诗人许棠则描述在毛乌素沙地所见之景为"茫茫沙漠广,渐远赫连城",赫连城即统万城。

明清时期，东部草原及荒漠草原地带成为以农耕为主的政府和以畜牧业为生的游牧民族激烈争夺的地区，战事持续不断，政府大兴修筑军事防御，固沙草被破坏日趋加重。此外，农耕活动持续，开垦区域继续扩大，垦区多在辽金时代垦区外，使得沙区范围不断扩大，"风吹草低见牛羊"的原始牧场状态彻底消失。部分沙地已基本形成现代的沙漠景观，风沙危害情况甚至甚于现代。

二、荒漠地带的荒漠时空变迁

荒漠地带位于我国西北部，属于典型的干旱区，该区域内的荒漠在地质时期即已形成，但其边缘的一些绿洲地带在历史时期不断消失，从而形成荒漠化土地。但这一过程并不是直线和连续的，而是在荒漠和绿洲两个方向上反复(李并成，2003；Li et al.，2012；Shi et al.，2019)。其历史时期时空变迁大致也可分为3个阶段：秦汉时期、唐宋时期以及明清时期。

秦汉时期，荒漠地带边缘区域生态状况良好，多为一望无际的草原或者肥沃的牧场，有着较为发达的农业和畜牧业，未出现沙漠迹象和沙害。如乌兰布和沙漠北部河湖众多，水源充沛，黄河溢水形成的屠申泽就是其中之一。据《水经注》记载，屠申泽"泽东西百二十里"，横亘整个乌兰布和沙漠的北部(图2-4)。在丰富水源的基础上，形成以松木、桦木为主的多林木景观，并伴有一定面积草原的生态系统格局。此外，该时期荒漠地带还存在不少的绿洲古城，如塔克拉玛干边缘地带的鄯善国(原楼兰国)、精绝国和皮山国等，河西地区的古居延绿洲和张掖"黑水国"古绿洲等。《汉书·西域传》描述鄯善国的自然环境为"地沙卤，少田，多葭苇、柽柳、胡桐、白草"，可见当时该区域农田较少，虽已有沙丘，但是植被生长茂盛，沙丘被固定，罕见流动沙丘。

唐宋时期，绿洲农业不断发展，土地开发普遍，大量的耕作行为使得地表植被遭到破坏。加之天然水资源被纳入农田垦区中，使得原有的水资源平衡被打破，绿洲下游尾闾地区开始出现缺水状况，部分绿洲开始迁移并出现沙化。古居延绿洲三角洲下部、民勤西沙窝大部分区域、张掖"黑水国"北部和古阳关绿洲等逐渐被流沙湮没。随后，战乱加之气候干旱，使得大量田地被弃耕，没有任何作物覆盖的地表开始流沙四起，逐渐出现侵蚀荒漠景观。《宋史·高昌传》中记载了王延德出使高昌，横穿乌兰布

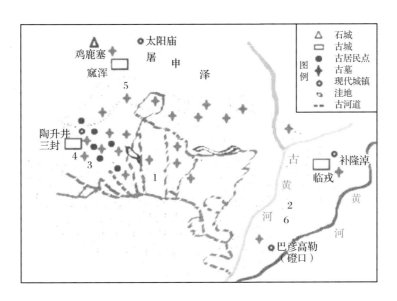

图 2-4　乌兰布和沙漠北部汉代遗迹分布(陈业新，2012)

和沙漠北部所见的景象"沙深三尺，马不能行，行皆乘橐驼"。《元史·太祖纪》记载成吉思汗从西凉东征西夏的情景为"逾沙陀，至黄河九渡，取应理等县"。在宋代，塔克拉玛干沙漠边缘地区虽然随着茶马贸易的兴起，沙漠掩埋或荒废的古城镇恢复了短暂的繁盛，但人流车马的增多最终加快了该地区的沙漠扩展进程。

　　明清时期，荒漠地带边缘区域资源开发强度骤增，垦殖的区域开始向绿洲边缘比较难以利用的地段扩展，绿洲植被地表破坏严重，而且受战乱影响，土地撂荒严重。加之气候处于暖干期，部分河流断流，潜水面下降，使得沿河流地段的绿洲耕地及居民点废弃，沙漠范围出现移动和扩张。《新疆图志·水道志》描述塔里木河的情况为"西南上游，近水城邑田畴益密，则渠浍益多，而水势日渐分流，无复昔时浩大之势"。其庞大的水系瓦解，改道变迁频繁，使得废弃土地上流沙快速形成，沙丘前移入侵。据《中卫县志》记载，腾格里荒漠景象为"近年沙势日逼渠岸，或山水大风，遂为沙累淤塞，岁数挑浚，功力惮焉"。清代，腾格里沙漠的流沙已经越过了明长城一线，部分明长城已经被流沙掩埋。此后，腾格里沙漠东南边缘的范围继续扩大，越过黄河为害。《维修中卫县志》中记载"康熙四十八年间，地震后忽大风十余日，沙悉卷空飞去，落河南永，宣两堡近山一带"。

第三节　现代时期荒漠生态系统格局及其变化

一、荒漠生态系统格局概述

荒漠生态系统中的生物与环境之间的相互作用是荒漠生态学研究的重要内容，其研究层次涉及个体、种群、群落、生态系统、景观、区域乃至全球生物圈。荒漠生态系统研究涉及水分、气象、地理和人文等，由于研究对象和荒漠环境空间分布的差异，荒漠生态系统研究必然涉及格局问题。

格局是指地理和生态要素的结构和格式。由于人类对地理和生态要素研究侧重的差异，格局在内容上又可分为时间格局和空间格局。在生态学研究中，时间格局（temporal pattern）又称为活动性格局（activity pattern），即周期性现象，如研究对象在年（或季节、日）内的活动和变化规律等。空间格局（spatial pattern）是指环境、资源和生态系统的结构在空间上的分布规律和特征。环境、资源等空间异质性的、不均一的分布是空间格局产生的主要原因；空间格局是空间异质性的一种具体表现形式。沙漠、沙地、戈壁等的空间分布均是空间格局的表现形式之一。由于一定时段内地理和生态要素在时间和空间上均表现出明显变化，人们更关注的是地理和生态要素的时空格局动态。

生态系统的格局研究包括生物格局、环境格局、景观格局。生态系统格局反映了各生态系统自身的空间分布规律和各类生态系统之间的空间结构关系，是决定生态系统整体状况及其空间差异的重要因素，也是人类针对不同区域特征实施生态系统保护和利用的重要依据。荒漠生态系统格局是研究荒漠生态系统中地理和生态要素的结构和格式，其研究内容包括时间和空间两方面。空间格局研究是荒漠生态系统格局的重要研究内容，时间格局则经常体现在空间格局的时间变化过程研究之中。荒漠生态系统空间分布格局研究主要针对水平方向和垂直方向分别展开。在荒漠生态系统格局研究中，基于生态景观、土地利用类型和资源异质性研究应用广泛。土地利用和土地覆被变化（land use and land cover change，LUCC）是全球变化研究的核心项目。荒漠生态系统作为全球重要的生态系统之一，其空间格局的研究是全球土地覆被变化机制、土地利用变化机制以及区域和全球模型等研究的基础，与荒漠生态系统景观结构处于相似的水平，借助于土地利用/土地覆被时空变化特征，可以清楚了解荒漠生态系统的格局动态过程。荒漠生态系统降水稀少、气候干燥、风大沙多、植被稀疏、温差大，这些特点决定了荒漠生态系统具有不同于其他生态系统的独特结构和功能；同时，荒漠生态系统还具有防风固沙、土壤保育、水文调控、固碳、生物多样性保育、景观游憩等功能，因此，掌握荒漠生态系统时空格局变化特征对准确评价荒漠生态系统功能与服务具有重要意义。本章基于下述的荒漠生态系统分类结果，对我国荒漠生态系统的时空格局进行分析。

二、基于遥感的荒漠生态系统分类体系

遥感技术与遥感数据在区域生态系统评价中得到越来越广泛的应用，已经成为区域生态评价不可缺少的技术手段和数据来源，但由于不同的研究目的、研究区域和研究对象，通常建立不同的分类体系。荒漠生态系统总体特点是植被覆盖度低，生产力低，结构相对比较简单。一般在对荒漠生态系统进行研究时，将荒漠生态系统与土地利用/土地覆被分类体系相结合，分为沙漠（荒漠裸地）、沙地、戈壁（包括山地）3 种类型（图 2-5），我国荒漠生态系统涵盖八大沙漠、四大沙地与广袤戈壁（卢琦等，2016）。

通过查阅相关文献、资料，本章借鉴国际上和我国有关的土地利用/土地覆被分类体系，以及生态系统长期研究成果，基于中国土地利用遥感

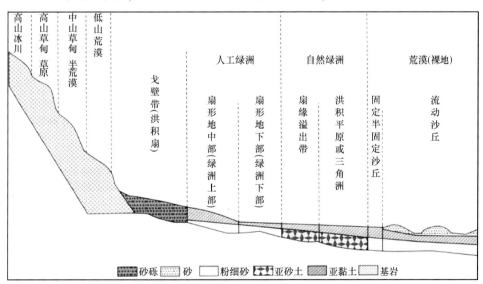

图 2-5　荒漠生态系统结构组成（刘风章，2011）

分类体系［来源于中国科学院资源环境科学数据中心（http://www.resdc.cn/）］和生态系统分类方法（欧阳志云等，2015），确定了我国荒漠生态系统的分类体系（表 2-1）。划分过程中，基于获取的中国土地利用遥感分类体系、气候分区、降水分布图和我国八大沙漠、四大沙地和主要戈壁分布图进行分类，最终获取到 20 世纪 70 年代末、80 年代末、2000 年、2010年、2018 年共 5 期分类结果。

表 2-1　荒漠生态系统分类体系

分类	含义
沙地	指地表为沙覆盖，植被覆盖度在 5% 以下的土地，包括沙漠、沙地，不包括水系中的沙漠
戈壁	指地表以碎砾石为主，植被覆盖度在 5% 以下的土地
荒漠裸土	指地表土质覆盖，覆盖度在 5% 以下的土地
荒漠裸岩	指地表为岩石或石砾，其覆盖面积 >5% 的土地
荒漠盐碱	指地表盐碱聚集，植被稀少，只能生长强耐盐碱植物的土地

三、现代时期荒漠生态系统格局及变化特征

（一）荒漠生态系统总体时空格局分析

我国荒漠生态系统总面积约为 165.07 万平方公里（根据 2018 年数据统计），占我国陆地总面积的 17.19%，涵盖八大沙漠、四大沙地及广袤戈壁，主要分布在新疆、内蒙古、青海、甘肃、西藏、陕西、宁夏、吉林、黑龙江、河北、山西、辽宁等 12 个省份，绝大部分分布在新疆、内蒙古、青海、甘肃、西藏、陕西 6 省份（约占总面积的 97.8%）。从类型上看，沙漠和沙地主要包括八大沙漠和四大沙地，集中分布在新疆、内蒙古、青海、甘肃、宁夏，西藏地区有零星沙地分布。戈壁主要分布于内蒙古、新疆、青海、宁夏、甘肃等省份，西藏有零星戈壁分布。荒漠裸岩集中分布在新疆、西藏南部、青海西部、宁夏、甘肃西部及内蒙古西北地区（图 2-6、表 2-2）。中国荒漠生态系统的空间分布具有明显的规律性，其分布随海拔高度的变化具有明显规律，主要分布在 500~2500 米之间（常兆丰，1997），且不同的海拔高度、经度、纬度上分布有不同的植被类型（任鸿昌等，2004）。

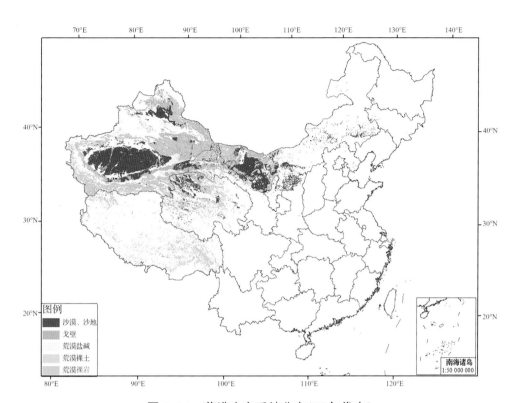

图 2-6-1 荒漠生态系统分布（70年代末）

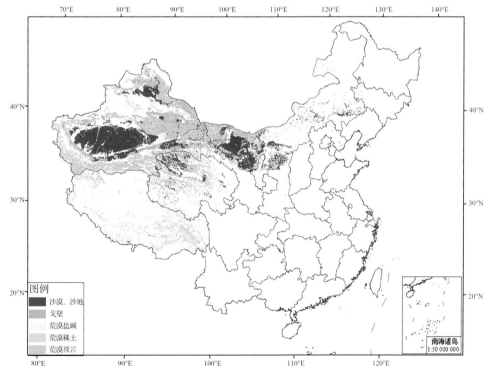

图 2-6-2 荒漠生态系统分布（80年代末）

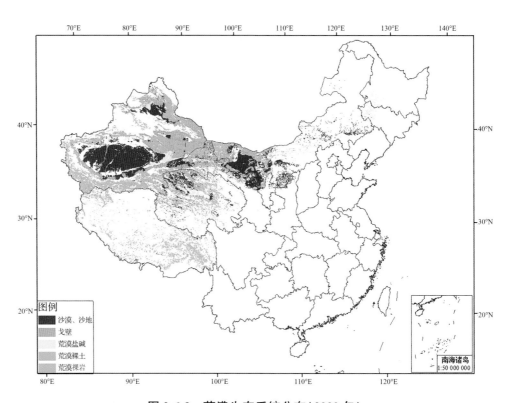

图 2-6-3　荒漠生态系统分布（2000 年）

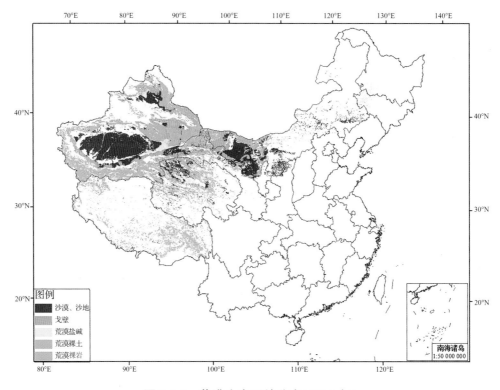

图 2-6-4　荒漠生态系统分布（2010 年）

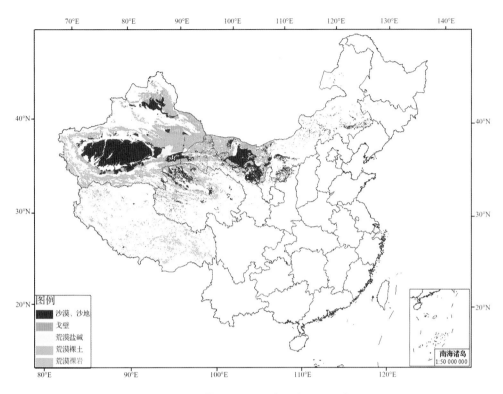

图 2-6-5 荒漠生态系统分布(2018 年)

注：原始数据来源于中国科学院资源环境科学数据中心(http://www.resdc.cn/)。

我国荒漠生态系统面积呈持续减少趋势。20 世纪 70 年代末，我国荒漠生态系统总面积为 174.08 万平方公里，到 80 年代末期总面积减少到 173.63 万平方公里，2000 年为 169.74 万平方公里，2010 年为 166.91 万平方公里，到 2018 年总面积为 165.07 万平方公里。总体来看，研究时段内荒漠生态系统各类型面积呈现减少趋势，总面积减少了约 9.01 万平方公里，降幅为 8.74%。沙漠、沙地和戈壁总面积约占荒漠生态系统总面积的 59.33%，其面积从 20 世纪 70 年代末的 103.13 万平方公里，减小到 2018 年的 99.51 万平方公里，面积共减少了 3.63 万平方公里，降幅为 3.5%。其中，沙漠和沙地面积从 70 年代末的 55.34 万平方公里，减少到了 2018 年的 53.38 万平方公里，减少 1.96 万平方公里，降幅为 3.45%。戈壁从 70 年代末的 47.80 万平方公里减少到了 2018 年的 46.13 万平方公里，减少 1.67 万平方公里，降幅为 3.49%。荒漠盐碱地面积约为 12.10 万平方公里，占荒漠生态系统总面积的 7.12%，研究时段内减少了约 1.51 万平方公里，降幅为 11.90%。荒漠裸岩面积减少了 4.5 万平方公里，

表 2-2　各省份荒漠生态系统面积统计

万平方公里

时间	荒漠类型	新疆	内蒙古	青海	甘肃	西藏	陕西	宁夏	吉林	黑龙江	河北	山西	辽宁
70 年代末	沙漠+沙地	33.47	13.90	4.04	2.73	0.18	0.58	0.29	0.06	0.01	0.06	0.00	0.00
	戈壁	28.34	6.85	5.34	7.11	0.02	0.00	0.14	0.00	0.00	0.00	0.00	0.00
	荒漠盐碱土	5.11	2.23	2.07	0.80	1.37	0.01	0.02	0.66	0.34	0.02	0.01	0.01
	荒漠裸岩	1.56	0.45	0.36	0.36	0.01	0.01	0.02	0.00	0.02	0.00	0.00	0.00
	沙漠+沙地	27.26	4.44	6.64	4.38	12.70	0.01	0.04	0.01	0.00	0.06	0.00	0.00
80 年代末	沙漠+沙地	33.25	13.93	4.03	2.72	0.18	0.57	0.28	0.06	0.01	0.02	0.00	0.00
	戈壁	27.88	6.84	5.33	7.09	0.02	0.00	0.14	0.00	0.00	0.00	0.00	0.00
	荒漠盐碱土	5.19	2.26	2.07	0.80	1.36	0.01	0.02	0.73	0.34	0.00	0.01	0.01
	荒漠裸岩	1.55	0.45	0.36	0.36	0.01	0.01	0.02	0.00	0.02	0.02	0.00	0.00
	沙漠+沙地	27.31	4.44	6.64	4.38	12.81	0.01	0.04	0.01	0.00	0.00	0.00	0.00
2000 年	沙漠+沙地	32.50	13.62	3.96	2.64	0.18	0.44	0.24	0.02	0.00	0.01	0.00	0.00
	戈壁	27.46	6.70	5.23	6.97	0.01	0.00	0.08	0.00	0.00	0.00	0.00	0.00
	荒漠盐碱土	4.78	2.16	2.04	0.78	1.34	0.01	0.02	0.72	0.34	0.00	0.00	0.00
	荒漠裸岩	1.46	0.43	0.35	0.31	0.01	0.00	0.01	0.00	0.00	0.02	0.00	0.00
	沙漠+沙地	26.97	4.38	6.54	4.31	12.63	0.00	0.04	0.02	0.00	0.00	0.00	0.00
2010 年	沙漠+沙地	31.89	13.42	3.95	2.54	0.18	0.42	0.21	0.02	0.00	0.00	0.00	0.00
	戈壁	27.16	7.11	5.20	6.71	0.02	0.00	0.08	0.00	0.00	0.01	0.00	0.00
	荒漠盐碱土	4.57	2.00	1.95	0.69	1.34	0.01	0.01	0.75	0.35	0.00	0.00	0.00
	荒漠裸岩	1.44	0.42	0.35	0.29	0.01	0.00	0.01	0.00	0.00	0.00	0.00	0.00
	沙漠+沙地	26.70	3.67	6.48	3.99	12.92	0.00	0.04	0.02	0.00	0.02	0.00	0.00
2018 年	沙漠+沙地	32.87	12.93	4.07	2.71	0.18	0.39	0.21	0.02	0.00	0.00	0.00	0.00
	戈壁	25.67	7.68	4.98	6.77	0.93	0.00	0.09	0.00	0.00	0.03	0.00	0.00
	荒漠盐碱土	3.29	2.37	2.60	0.90	0.58	0.01	0.03	0.92	0.43	0.00	0.00	0.00
	荒漠裸岩	1.37	0.40	0.18	0.32	1.11	0.01	0.03	0.00	0.00	0.00	0.00	0.00
	沙漠+沙地	26.26	4.52	6.09	4.99	9.09	0.00	0.04	0.00	0.00	0.00	0.00	0.00

注：数据来源于中国科学院资源环境科学数据中心（http://www.resdc.cn/）。

降幅为 8.10%。荒漠裸土面积呈略微增加趋势。从 20 世纪 70 年代末开始，以三北防护林为代表的各项林业工程有效增加了林地、草地面积，提高了植被覆盖度，使我国荒漠生态系统面积呈现持续减少的趋势。

表 2-3　各时期荒漠生态系统面积统计

万平方公里

时间	沙漠+沙地	戈壁	荒漠盐碱	荒漠裸土	荒漠裸岩	合计
70 年代末	55.29	47.78	12.66	2.79	55.55	174.08
80 年代末	55.10	47.28	12.83	2.78	55.65	173.63
2000 年	53.62	46.46	12.19	2.57	54.89	169.74
2010 年	52.64	46.27	11.67	2.51	53.81	166.91
2018 年	53.38	46.13	11.16	3.42	50.99	165.07

注：数据来源于中国科学院资源环境科学数据中心（http://www.resdc.cn/）。

从各荒漠生态系统类型的组成结构来看，我国荒漠生态系统以沙漠与沙地、戈壁和荒漠裸岩 3 种类型为主，3 种类型面积约占荒漠生态系统总面积的 91.22%（5 个时期的均值，下同），构成我国荒漠生态系统的主体。其中，沙漠与沙地（八大沙漠、四大沙地）面积总约为 54.0 万平方公里，占荒漠生态系统总面积的 31.79%。戈壁总面积约为 46.79 万平方公里，占荒漠生态系统总面积的 27.54%。荒漠裸岩总面积约为 54.16 万平方公里，占荒漠生态系统总面积的 31.88%。荒漠盐碱总面积约为 12.10 万平方公里，占荒漠生态系统总面积的 7.12%。荒漠总裸土面积约为 2.81 万平方公里，仅占荒漠系统总面积的 1.66%。从空间分布来看，八大沙漠和广袤的戈壁集中分布在新疆、青海、甘肃、内蒙古、宁夏等省份，四大沙地集中分布在内蒙古、陕西、吉林、辽宁、河北等省份。荒漠裸岩集中分布在西藏、新疆、青海、内蒙古和甘肃西部等地区。从多年变化来看，沙漠与沙地、戈壁、荒漠盐碱和荒漠裸岩面积均呈现减少趋势，荒漠裸土面积略有增加；沙漠与沙地、戈壁和荒漠裸土面积占荒漠生态系统总面积比例均有所增加，荒漠盐碱和荒漠裸岩所占面积比例呈现减少趋势，这说明同沙漠与沙地、戈壁和荒漠裸土相比，荒漠盐碱和荒漠裸岩面积减少幅度较大（图 2-7）。

经过 40 余年来的植被恢复和林业工程等建设，我国荒漠生态系统面积总体呈减少趋势，总体来看，其面积减少区域主要分布在生态系统恢复区，如山西、内蒙古中部等退耕还林重点区域，毛乌素沙地、库布齐沙

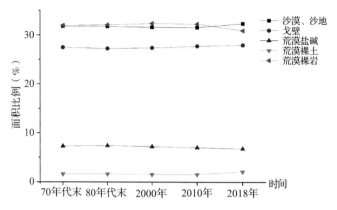

图 2-7　荒漠生态系统各类型面积比例变化情况

注：原始数据来源于中国科学院资源环境科学数据中心（http://www.resdc.cn/）。

漠，科尔沁沙地部分区域，乌兰布和沙漠北缘，腾格里沙漠南缘，古尔班通古特沙漠周边，塔里木盆地周边及西藏自治区部分区域（图 2-8）。这些区域是各项林业生态工程重点部署和建设区域，经过几十年的建设，这些区域的植被得到明显的恢复，地表植被盖度明显增加，使荒漠生态系统的面积和格局发生了变化。

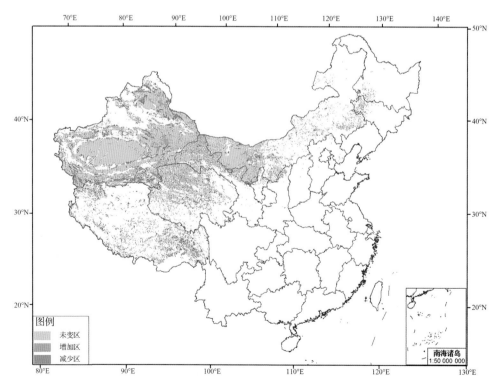

图 2-8　荒漠生态系统总体变化情况

注：原始数据来源于中国科学院资源环境科学数据中心（http://www.resdc.cn/）。

(二)各省份荒漠生态系统总体时空格局分析

我国荒漠生态系统主要分布在新疆、内蒙古、青海、甘肃、西藏5个省份，其荒漠生态系统面积占总面积的比例达98.73%(多年均值，下同)。各省份荒漠生态系统面积差异较大(图2-9、表2-4)。新疆以93.06万平方公里居于首位，占荒漠生态系统总面积的54.78%，区内分布有广袤戈壁、塔克拉玛干沙漠、古尔班通古特沙漠、库木库里盆地沙漠、柴达木盆地沙漠、库姆塔格沙漠。其中，塔克拉玛干沙漠和古尔班通古特沙漠是我国面积最大的两大沙漠。内蒙古以27.51万平方公里居于第二位，占荒漠生态系统总面积的16.20%，区内分布有广袤戈壁、巴丹吉林沙漠、腾格里沙漠、乌兰布和沙漠、库布齐沙漠、狼山以西的沙漠、毛乌素沙地、浑善达克沙地、呼伦贝尔沙地、乌珠穆沁沙地等。青海荒漠生态系统面积为18.17万平方公里，占荒漠生态系统总面积的10.70%，居于第三位，区内分布有柴达木盆地沙漠、库木库里盆地沙漠、共和盆地沙漠以及广袤戈壁。甘肃居于第四位，为15.12万平方公里，占荒漠生态系统总面积的8.91%，区内分布有广袤戈壁、库姆塔格沙漠、柴达木盆地沙漠、巴丹吉林沙漠、腾格里沙漠。西藏居于第五位，为13.84万平方公里，占荒漠生态系统总面积的8.14%，主要分布有荒漠裸岩、零星沙地和戈壁。

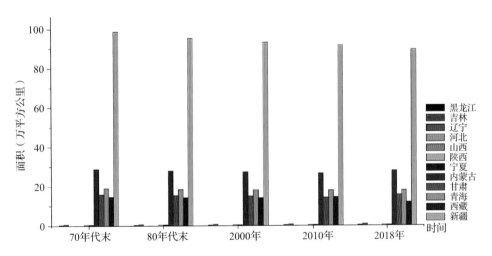

图 2-9　研究时段内各省份荒漠生态系统总面积变化情况

注：原始数据来源于中国科学院资源环境科学数据中心(http://www.resdc.cn/)。

表 2-4　各省份不同时期的荒漠生态系统占总面积比例

%

省份	70 年代末	80 年代末	2000 年	2010 年	2018 年
黑龙江	0.22	0.22	0.20	0.21	0.26
吉林	0.42	0.46	0.44	0.46	0.57
辽宁	0.01	0.01	0.00	0.00	0.00
河北	0.05	0.05	0.01	0.01	0.02
山西	0.01	0.01	0.00	0.00	0.00
陕西	0.35	0.34	0.27	0.26	0.25
宁夏	0.29	0.29	0.23	0.21	0.24
内蒙古	16.01	16.07	16.08	15.95	16.91
甘肃	8.83	8.84	8.84	8.52	9.50
青海	10.60	10.62	10.69	10.74	10.85
西藏	8.21	8.28	8.35	8.66	7.20
新疆	55.00	54.82	54.89	54.98	54.20

注：原始数据来源于中国科学院资源环境科学数据中心（http://www.resdc.cn/）。

研究时段内，各省份荒漠生态系统占总面积的比例构成基本保持不变，但各省份荒漠生态系统面积均呈现减少趋势（表 2-2、图 2-9）。20 世纪 70 年代末至 2018 年间，新疆荒漠生态系统面积减少为 6.29 万平方公里，降幅达 6.57%，减少面积最多。其中，沙漠与沙地面积减少 0.6 万平方公里，戈壁面积减少 2.67 万平方公里，占该区荒漠生态系统减少总面积的 52.06%。其次为西藏，荒漠生态系统减少面积为 2.4 万平方公里，降幅达 16.8%，其减少面积以荒漠裸岩为主。其他降幅比较明显的省份还有青海、宁夏、山西、河北、辽宁、内蒙古。总体来看，几个省份沙漠与沙地和戈壁面积减少明显，其中沙地和戈壁面积减少最多，这与近几十年来西部地区各省份在各区进行林业生态工程建设、退耕还林还草等工作，在戈壁区开垦土地种植农作物和经济作物有密切关系。

从不同荒漠生态系统类型结构来看，新疆荒漠生态系统分布面积最广。其中沙漠与沙地占全国沙漠与沙地总面积的 60.71%，区内戈壁占全国戈壁总面积的 59.52%，区内荒漠盐碱占全国荒漠盐碱总面积的 37.18%，区内荒漠裸土占全国荒漠裸土总面积的 49.70%。内蒙古居于第二位，区内沙漠与沙地面积占全国沙漠与沙地总面积的 25.10%，区内戈壁占全国戈壁面积的 16.56%，区内荒漠盐碱占全国荒漠盐碱地面积的

18.26%，区内荒漠裸土占全国荒漠裸土总面积的 15.47%，区内荒漠裸岩占全国荒漠裸岩总面积的 7.93%。青海居第三位，区内沙漠与沙地面积占全国沙漠与沙地总面积的 7.43%，区内戈壁占全国戈壁面积的 10.51%，区内荒漠盐碱占全国荒漠盐碱地面积的 17.86%，区内荒漠裸土占全国荒漠裸土总面积的 11.77%，区内荒漠裸岩占全国荒漠裸岩总面积的 11.96%。甘肃居第四位，区内沙漠与沙地面积占全国沙漠与沙地总面积的 4.94%，区内戈壁占全国戈壁面积的 12.88%，区内荒漠盐碱占全国荒漠盐碱地面积的 6.58%，区内荒漠裸土占全国荒漠裸土总面积的 11.72%，区内荒漠裸岩占全国裸岩总面积的 8.17%。西藏居第五位，区内沙漠与沙地面积占全国沙漠与沙地总面积的 0.33%，区内戈壁占全国戈壁面积的 0.10%，区内荒漠盐碱占全国荒漠盐碱地面积的 9.93%，区内荒漠裸土占全国荒漠裸土总面积的 6.72%，区内荒漠裸岩占全国荒漠裸岩总面积的 22.15%。总体来看，5 个省份沙漠与沙地面积占全国沙漠与沙地总面积的 98.51%，戈壁面积占全国戈壁总面积的 99.57%，荒漠盐碱面积占全国荒漠盐碱总面积的 89.81%，荒漠裸土面积占全国荒漠裸土总面积的 95.38%，荒漠裸岩面积占全国荒漠裸岩总面积的 99.9%。这说明，5 个省份的荒漠生态系统是我国荒漠生态系统的主要组成部分，也是我国防治荒漠化、沙化，进行植被恢复，建设我国北方绿色生态屏障的主战场（表 2-4、图 2-10）。

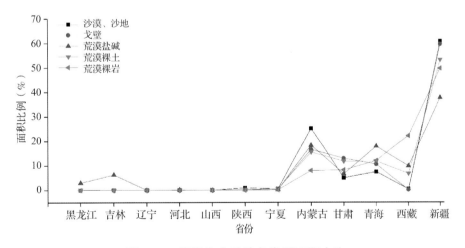

图 2-10　荒漠生态系统各类别面积占比

注：原始数据来源于中国科学院资源环境科学数据中心（http://www.resdc.cn/）。

第三章　荒漠生态系统质量评估

荒漠生态系统是在降水稀少、蒸发强烈、极端干旱环境下，植物群落稀疏的生态系统类型，是整个生物圈中分布较广的一个系统，也是陆地生态系统一个重要子系统，是关系国家和区域生态安全的地域空间。长期以来，由于荒漠生态系统持续处于过度开发利用的状态，已经开始由结构性破坏向功能性紊乱的方向发展，由此引起区域性的水资源短缺、风蚀沙化、生物多样性丧失等，对我国干旱区的社会稳定和生态安全造成严重的威胁（卢琦等，2020）。开展荒漠生态系统生态质量监测，是综合运用科学的技术方法，对不同尺度荒漠生态系统的组成要素、结构和功能进行连续监测，获取多层次和高精度的信息，是研究气候变化与人类活动影响下生态系统功能变化以及生态系统恢复、生物多样性保护以及生态评估的基础，也是落实国家尺度生态环境监测、保障国家生态安全、推进生态文明建设的重大战略需求。

第一节　荒漠生态系统质量的科学概念和评估框架

荒漠是指长期干旱气候条件下形成的植被稀疏的地理景观。降水量少而蒸发量大、具有强烈大陆性气候特征、植被稀疏而地面组成物质粗瘠的地区。按成因，可以把荒漠归类为风力作用形成的沙漠、砾漠、岩漠和风蚀地；流水侵蚀形成的劣地和砾漠；土壤盐渍化形成的盐漠；低温生理性干旱形成的寒漠。

荒漠生态系统是由旱生、超旱生的小乔木、灌木、半灌木和小半灌木，以及与其相适应的动物和微生物等构成的生物群落，与其生境共同形成物质循环和能量流动的动态系统。荒漠生态系统生境的特点是降水稀少、气候干燥、风大沙多、植被稀疏，是陆表过程中最为脆弱的一种生态系统，也是我国西北干旱区代表性的生态系统类型，具有独特的结构和功能。

　　跨尺度、规范化的联网观测在全球变化和生态系统研究中日益受到重视。荒漠生态站网是开展荒漠生态系统质量监测的重要平台，是量化评估的重要手段。通过荒漠生态站网长期、连续的观测研究，科学评估我国荒漠生态系统质量，有利于向社会宣传荒漠生态系统的生态、经济和社会功能，增强荒漠生态系统的重要地位和作用。中国荒漠生态系统定位研究网络始建于1998年，经过20多年的建设与发展，截止到2020年，我国荒漠生态站数量达到47个，分布在极端干旱区6个、干旱区9个、半干旱区5个、亚湿润干旱区6个、青藏高原高寒区5个、其他特殊环境区16个（卢琦等，2020）。

　　生态质量是指一定时空范围内生态系统要素、结构和功能的综合特征，具体表现为生态系统的状况、生产能力、结构和功能的稳定性、抗干扰能力和恢复能力，反映生态系统维持自然状态、稳定性和自组织能力的优劣。生态质量更强调于生态系统结构和功能的整体性认知与定量化的科学评价，并直接服务于生态系统恢复、生物多样性保护以及生态补偿机制的建立。

　　荒漠生态质量是在一定时空范围内，在区域气候、地理及人为因子等生境特征影响下，荒漠生态系统结构和功能的综合特征。具体表现为荒漠生态系统结构和功能稳定性、生产能力、抗干扰和恢复能力以及对人类影响程度的综合指标。荒漠生态质量的稳定性主要体现在生态系统、群落及种群结构、多样性的波动变化。结构和功能主要体现在植被覆盖度、沙地面积、物种种类、物种面积以及生物量、生态系统碳储量、生态系统净生产力。生产能力主要体现在生态系统的生物量与生产力，对人类影响程度主要体现在沙尘侵扰频率与强度。

　　本节提出了荒漠生态系统生态质量的科学评估框架（图3-1），基于生态质量的定义，制定了反映生态质量优劣包含结构、功能和抗干扰能力的关键监测指标和评估指标，集成卫星、无人机和地面传感器网络的"星—空—地"一体化监测技术，在区域和站点两个尺度上对荒漠生态系统的生态要素、生物多样性和生态功能进行连续监测。通过标准化生态质量指标数值、厘定其阈值范围，基于"最小限制因子"理论建立生态质量综合评价模型。通过在内蒙古浑善达克沙地开展观测应用，以距离北京最近的浑善达克沙地为例，评价了近15年浑善达克沙地生态系统质量变化情况。

本章节阐明的荒漠生态质量概念、监测技术标准与评价方法的科学评估框架及应用示范，为实现我国荒漠生态系统生态质量综合监测、科学诊断和定量评估提供理论基础和应用案例，进一步为国家生态质量监测和生态文明建设提供亟需的技术支撑。

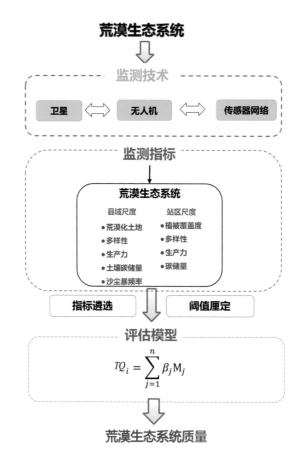

图 3-1　荒漠生态系统生态质量指标、监测及评估科学框架

第二节　荒漠生态系统质量的指标体系

随着荒漠生态系定位研究网络的建立，从站点到区域乃至全国尺度的观测体系建设已经成为生态系统观测研究发展趋势，构建科学、合理、具有指导性的荒漠生态系统生态质量监测指标体系，为生态质量的监测和评估、生态系统的保护和恢复，生态系统的管理等领域提供指导，推动现有生态网络的优化和升级，实现为国家和区域尺度的生态系统保护、恢复与优化管理决策提供有效的科学支持。

一、构建原则

系统性原则。构建的指标体系能够基本涵盖荒漠生态系统生态质量监测的整体布局。监测指标之间能够协调统一，保证监测指标体系的完整性，充分发挥监测指标的作用。

实用性原则。构建指标体系等，遵循了统一、简化和优化协调原则，也充分考虑了荒漠生态系统独特的结构和功能，监测指标的选定，具有代表性、针对性，能够适用于荒漠生态系统（崔向慧，2017）。

二、指标体系

荒漠生态系统质量的指标体系框架以生态系统的宏观结构和服务功能的基本特征及其变化为核心，结合我国荒漠生态系统的背景特征、主要问题以及不同区域的生态条件等，进行分析、比较、综合筛选出针对性较强、反映荒漠生态系统主要特征的指标，构成荒漠生态系统生态质量监测指标框架，实现不同时空尺度的荒漠生态系统综合监测与评估工作。

根据我国荒漠生态系统的背景特征，通过开展国内外生态系统网络生态要素、生物多样性和生态功能观测指标与技术体系的比较研究，构建了由3个一级指标、5个二级指标（评价指标）、8个三级指标（监测指标）组成的反映荒漠生态系统生态质量的三级指标体系（表3-1）。其中，一级指标分别是结构、功能和干扰指标；二级指标，又可称为评价指标，分别反映生态系统结构稳定和恢复能力、生物多样性、生产支持能力、干扰强度；三级指标分别是植被覆盖度、沙地面积、物种种类、物种数量、指示物种、生物量/碳储量、植被生产力和沙尘暴频率指标。

表 3-1　荒漠生态系统生态质量监测和评估指标体系

一级指标	二级指标 评价指标	三级指标 监测指标	定义
结构指标	生态系统结构	植被覆盖度	植被（包括叶、茎、枝）在地面的垂直投影面积占区域总面积的百分比
		沙地面积	区域内没有植物生长的裸露地表的面积
	生物多样性	物种种类	区域内植物和动物的物种数量
		物种数量	区域内植物和动物单个物种的个数
		指示物种	区域内指示物种的数量和分布

（续）

一级指标	二级指标 评价指标	三级指标 监测指标	定义
功能指标	生产支持	生物量/碳储量	单位面积上的植物干物质量或生态系统碳累积量
		植被生产力	可分为初级生产力和净生产力
干扰指标	干扰强度	沙尘暴频率	1 年内发生沙尘暴的次数

第三节　荒漠生态系统质量的监测技术

长期生态定位观测网络、多时空尺度观测技术和现代物联网技术的快速发展为构建国家尺度生态质量监测技术体系提供了可能与条件，并为生态要素（水、土、气、生）的快速测定、生物多样性的连续监测和区域生态功能的遥感反演等提供了重要的技术支撑。

生态质量监测技术是运用科学的、可比的和成熟的技术方法，对生态系统进行长期监测，获取反映生态系统质量多层次和高精度的信息。以自上而下的遥感技术、地理信息技术和模型模拟技术，自下而上的野外观测台站观测、野外调查、人文调查等方法，获取荒漠生态系统长时间序列空间信息，在生态系统观测研究网络的基础上，实现数据的集成分析，通过多源数据融合、尺度转换与天—空—地一体化数据互相验证，评价生态系统质量状况及其变化，给区域生态系统的保护和修复提供了重要的技术支撑。荒漠生态系统生态质量监测方法包括遥感监测方法和地面监测方法（刘纪远等，2016）。

一、卫星遥感监测

卫星遥感监测生态质量主要利用卫星采集的影像、地理位置等信息，分析地物形态、结构与功能。卫星影像主要包含了多光谱和高光谱数据。影像分辨率从公里级到亚米级，为获取不同尺度地貌、植物结构特征，分析不同生态系统物质、能量循环，揭示单株—群落—生态系统尺度上的生物物理过程提供了强大的数据支撑。目前，不同分辨率的连续时间序列卫星影像已成为分析生态系统结构、功能状态及变化的重要数据源，通过影像数据解译，可以为大区域尺度上的生态质量监测提供植被盖度、生物量、生产力等长期可信动态数据。

二、无人机近地遥感监测

近 10 年来，低空无人机监测技术一直处于快速发展期，尤其是随着民用轻型无人机技术的逐步成熟，低空无人机遥感已逐步成为生态环境监测研究的重要工具。目前轻型无人机亦可以搭载普通 RGB 相机及多光谱、高光谱、激光雷达等多类型相机，影像分辨率可以实现厘米级（甚至毫米级）的精度，为干旱稀疏植被区的生态监测提供了更为便捷、精准、可信的数据源。对于植物稀少、生境单一的荒漠生态系统，通过影像解译，利用无人机遥感技术监测的指标有植被盖度、物种数量、植物生物量等。

中国林业科学研究院荒漠化研究所近年来研发了一套基于无人机的植被监测平台，实现利用无人机获取厘米级分辨率数字正射影像（韩东等，2018）；开发了利用机器学习算法（分类和回归树模型），基于高分辨率无人机影像自动、快速、准确获取植被类型和提取海量植物个体结构参数、估算植被生物量的新方法（图 3-2）；基于该算法开发的软件"无人机高精度影像分析平台"（https://www.uav-hirap.org），已经上线开始正式运行（Wang et al.，2019）。该无人机植被监测平台，已在荒漠生态系统浑善达克沙地、乌兰布和沙漠和库姆塔格站点开展了植被结构信息近地遥感监测（图 3-3）。

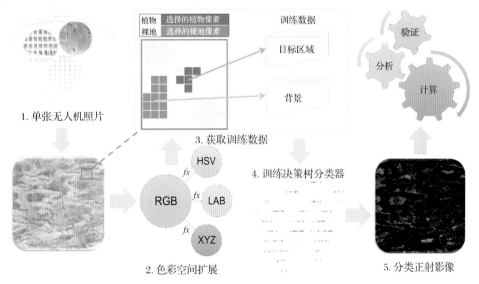

图 3-2　基于决策树算法的植被分类和盖度估计方法计算流程

图 3-3　无人机高精度影像在线分析平台(https://www.uav-hirap.org)

三、地面定位监测

地面监测数据获得途径主要有地面传感器自动监测、自动收集与人工测定记录相结合的半自动监测，以及完全依靠人工调查与取样分析的人工监测 3 种方式。目前，生态质量监测主要依赖人工植被监测的指标，包括物种丰富度、生物量、放牧强度。部分指标可以实现半自动或自动监测，如沙尘频率、植物净初级生产力指标。

野外台站观测仪器实时监控和数据管理在线平台是提高生态系统野外台站数据获取效率的有效工具。中国林业科学研究院荒漠化研究所以内蒙古锡林郭勒盟正蓝旗的疏林草原定位站为应用示范站点，搭建了一套野外台站数据在线管理平台，功能主要包括站点信息、站点管理、数据管理和主动预警四大模块，主要实现整个台站设备状态实时监控、数据远程传输、质量控制、实时预警、可视化和存贮检索共享数据等，数据综汇管理平台具体功能如图 3-4 所示。

通过研发荒漠生态质量监测技术体系与规范，将推进我国生态环境综合监测的资源整合和能力提升，为国家实现跨部门生态系统状况及其变化诊断提供强有力的技术支撑。

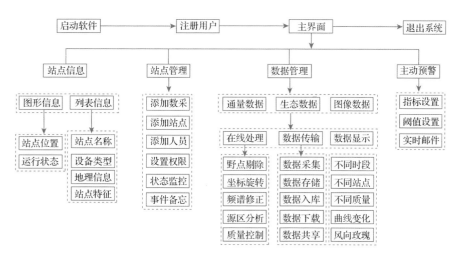

图 3-4　野外台站设备监控、数据传输、仪器故障预警实时管理在线系统

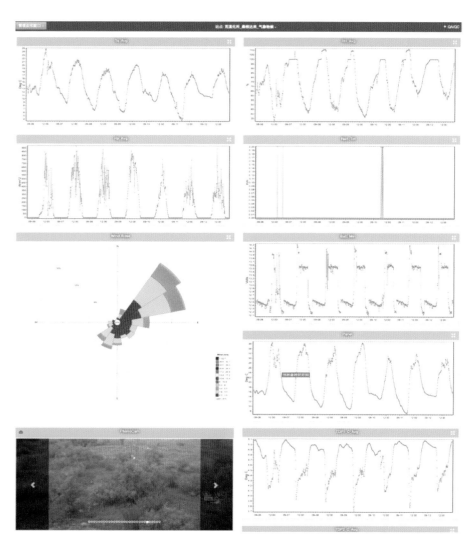

图 3-5　野外台站设备监控、数据传输、仪器故障预警实时管理在线平台

第四节　典型荒漠生态系统质量监测技术的应用

植被盖度作为地表植物群落直观定量化的功能指标，是描述植被动态的基本指标(DeFries et al.，2007；Yang et al.，2012；Harris et al.，2014)，在景观、区域和全球众多生态模型中得到广泛应用。植被盖度也是指示区域生态环境变化的重要指标，监测植被盖度变化常常成为评价区域生态环境质量的重要手段(李卓等，2017)。

以榆树为主要乔木树种的榆树疏林草原是位于温带森林和典型草原之间的一种地带性植被，是我国半干旱沙地的重要植物群落，其中以浑善达克沙地分布面积最广、数量最多、草原景观最为典型，是现今浑善达克沙地植被生态系统的顶级群落类型(唐毅等，2011；Liu et al.，2013)。浑善达克沙地位于京津地区的西北部。长期以来由于气候变化和人类活动的加剧，导致榆树疏林草原面积迅速减少、生态环境退化，引起区域浮沙和沙尘暴天气频繁的发生，成为引起京津地区风沙危害的主要沙尘源区之一。准确获取浑善达克沙地榆树疏林草原区域植被盖度是反映该区域植被生长状况的重要前提。因此，建立一套可重复、可比较、精确的植被盖度测量方法，不但能够及时准确地掌握该区域植被的季节性动态变化规律，而且有利于区域生态质量的监测和评估，维护该区域脆弱生态系统的持续稳定发展。

目前，基于卫星的遥感测量是常见的大范围植被盖度估算方法。卫星遥感图像覆盖范围广、光谱信息丰富，可以实现大范围植被特征动态获取。然而，同一区域不同类型的植被冠层结构和物候期不同，卫星遥感估算植被盖度常常忽略了木本和草本植物的差异，不能揭示不同类型植被物候变化规律，卫星影像的分辨率也难以实现植被冠层的精确定量分析(Malenovsky et al.，2017)。基于地面的植被观测可以精确地获取植物个体的功能和结构属性，但是基于地面的植物定位观测数据受限于人力限制难以推广到大的区域。目前对榆树疏林草原的研究主要集中在样地尺度开展地面观测，但是具有稀疏植被分布的榆树疏林草原景观异质性大，生长季内榆树疏林草原乔木、灌木和草本具有不同的生长发育节律，深入解析景观尺度上不同类型植被覆盖度的动态变化可以更准确地反映榆树疏林草原生态系统内不同植被的生长动态。无人机近地面遥感技术数据采集灵活、图像空间分辨率高，十分适合分析景观尺度榆树疏林草原生态系统不同植被类型覆盖度的动态变化。

无人机系统是一种以无人机为平台获取高时空分辨率影像数据的测量系统，恰好填补了地面测量与卫星遥感影像之间的尺度差异。利用无人机遥感影像获取的数字表面模型、数字高程模型和数字正射投影模型，可用于精确获取景观尺度的植被类型和结构特征。近几年随着机器学习算法在数字图像提取地物信息技术的发展，利用高精度无人机图像监测植被动态、动物栖息地特征和评价生物多样性正成为生态和遥感领域研究的热点。但是，如何利用无人机构建一套可以快速、准确、自动获取景观尺度植被类型和估算植被覆盖度的自动化工具，并实现植被状况的动态分析，仍是当前生态学和林学研究面临的主要挑战。

本节主要内容包括：构建基于无人机的植被监测平台，实现景观尺度高分辨率数字正射影像的生产；利用决策树算法基于正射影像自动划分植被类型和估算植被覆盖度；应用无人机和决策树算法实现生长季内榆树疏林草原木本和草本植物类型划分和覆盖度动态估计，明确木本和草本植被覆盖度对植被总覆盖度的贡献。

一、区域概况

研究依托位于内蒙古自治区锡林郭勒盟正蓝旗桑根达来附近的浑善达克沙地榆树疏林草原长期定位监测大样地（1 公里×1 公里，42°57′56″N、115°57′32″E，平均海拔 1300 米）（图 3-6a），该区域是浑善达克沙地榆树疏林典型分布区。研究区属中温带大陆性半干旱季风气候，多年平均气温 2.1℃，多年平均降水量为 365 毫米，降水量季节分布不均，主要集中在 7~9 月。样地土壤类型为风沙土，榆树（*Ulmus pumila*）是样地唯一乔木种（图 3-6b），与之伴生的灌木层优势种为耧斗菜叶绣线菊（*Spiraea aquilegifolia*）、小红柳（*Salix microstachya* var. *bordensis*）、黄柳（*Salix gordejevii*）、柴桦（*Betula fruticosa*）等（图 3-6c）；草本层则主要由多年生草本褐沙蒿（*Artemisia intramongolica*）和一年生草本叉分蓼（*Polygonum divaricatum*）、羊草（*Aneurolepidium chinense*）等近 190 种草本植物构成。

图 3-6　内蒙古自治区浑善达克沙地榆树疏林草原长期原位监测大样地

a. 样地植被景观航拍图；b. 榆树种群分布；c. 柴桦种群

二、生态质量监测技术应用

（一）无人机监测平台和数据获取

2017 年生长季，利用四旋翼大疆无人机（悟 1pro，DJI Inc.，中国），机载传感器为禅思 X5（1600 万像素），获取了大样地 7 个时期的无人机影像。观测日期分别为 5 月 8 日、6 月 14 日、7 月 12 日、8 月 7 日、9 月 1 日、9 月 24 日和 10 月 24 日。

（1）无人机影像采集。实地航拍前，首先根据大样地边界点地理坐标，计算航点位置规划飞行航线，如图 3-7a 所示。无人机飞行高度为 100 米，飞行路线旁向重叠 70 %，航向重叠 75%。航拍一般在 11：00~14：00 进行，此时的天空条件较好，地面阴影最小（图 3-7b）。利用无人机航线飞行控制软件 Litchi for DJI Drones（Ver. 3. 10. 5，VC Technology Ltd. 美国）制定飞行方案，完成无人机的飞行和数据采集工作。整块样地每次图像采集飞行时间为 2. 5~3 小时，图像为 1750~2050 张。

（2）地面控制点测量。样地设置了 22 个顶部为红色的水泥桩作为永久地面控制点（GCP），用于无人机数据影像的精度校正，分布如图 3-7a 所示。地面控制点的经度、纬度和高程使用 RTK（海星达，iRTK2，中国，水平精度<3 厘米，高程精度<5 厘米）测量。

（3）正射影像生产。首先将原始航拍图像进行几何校正，基于图像特征匹配算法（structure from motion，SfM）寻找相邻图像对间的同一特征点并进行特征点匹配，得到样地三维点云。在此过程中，利用地面控制点的精确坐标值对匹配的特征点进行地理位置校正。最终基于关键匹配特征点生成整个样地的正射影像（digital orthophoto map，DOM），如图 3-7c 所示。以上过程使用 PhotoScan Pro（V1.3.2，Agisoft.，俄罗斯）在高性能计算机上完成（ProLiant ML350e Gen8，CPU：E5-2420，RAM：48.0G）。100 公顷大样地的正射影像需要 30~35 小时的连续计算。无人机飞行高度为 100 米时，获取的正射影像的空间分辨率为 2.67 厘米/像元。

（二）植被类型划分和覆盖度估计

基于样地正射影像，采用决策树算法进行木本植物、草本植物和裸沙地的分类，利用分类后的图像计算植被和裸地的覆盖度。植被分类和计算方法如下：

利用色彩空间拓展函数，将 DOM 各像元的 RGB 信息进行扩展，将色彩空间拓展到具有 RGB、HSV、Lab 和 XYZ 的色彩空间 12 种不同特征的颜色信息。使用图像编辑软件（如 ImageJ、Photoshop 等）采集不同时期正射影像中的木本、草本和裸沙地像元，建立一套样地不同类型地物的样本训练数据（图 3-7d）。基于分类和回归决策树（classification and regression tree，CART）算法，建立颜色特征与分类类别的二叉树分类模型，并进行模型剪枝优化，生成最优决策树分类模型。应用生成的决策树模型对不同时期正射影像进行木本、草本和裸沙地像元分类；基于分类后的植被图，利用以下公式分别计算木本、草本植被覆盖度：

$$FVC = (P_i/P) \times 100\%$$

式中：FVC 为植被（木本、草本）覆盖度；P_i 为植被分类图中不同类型植被（i=木本/草本）像素的个数；P 为植被分类图中像素总数。

以上方法已被开发成在线交互式的"无人机高精度影像分析平台"（https://www.uav-hirap.com），覆盖度估算结果采用目视解译和机器分类相对比的方法进行了验证和评估，总体精度为 0.77，Kappa 系数为 0.64。

采用上述方法计算榆树疏林草原大样地生长季不同时期内木本和草本植物的覆盖度，评估样地生长季内木本和草本植被动态，明确木本和草本植物对植被总覆盖度的贡献。本报告中所计算的植被覆盖度包含了植被绿色部分(叶片)和植被非绿色部分(乔木、灌木的枝干和未变绿的多年生草本等)。

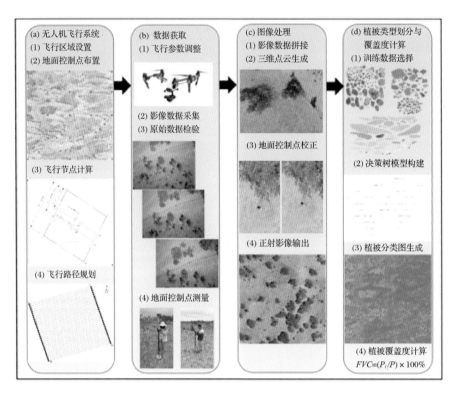

图3-7　基于无人机监测平台和机器学习算法分析木本、草本植被类型和覆盖度估算工作流程

三、榆树疏林草原植被生长季动态监测结果

(一)木本和草本植被类型划分及生长季变化

生长季不同阶段获取的正射影像能够较好地反映出绿色植被的生长动态,分类后的植被类型分布图清晰地反映出木本和草本植被在生长季内的动态变化(图3-8)。由图3-8可见,木本植被主要集中分布在大样地的左侧区域,右侧较少。生长季初期的正射影像(图3-8A)几乎没有绿色植被,实地观测到木本植物尚未出现叶片,草本植物为刚返青的草本和多年生草本的枯落体(图3-8a)。6月的正射影像(图3-8B)中出现明显的绿色植被,木本植物开始长出叶片(图3-8b)。7月和8月的正射影像(图3-8C和图3-8D)显示这个阶段是整个生长季绿色植被覆盖最高时期,植物类型分布图中(图3-8c和图3-8d)木本植物的覆盖面积最大,草本植物分布也最广。9月

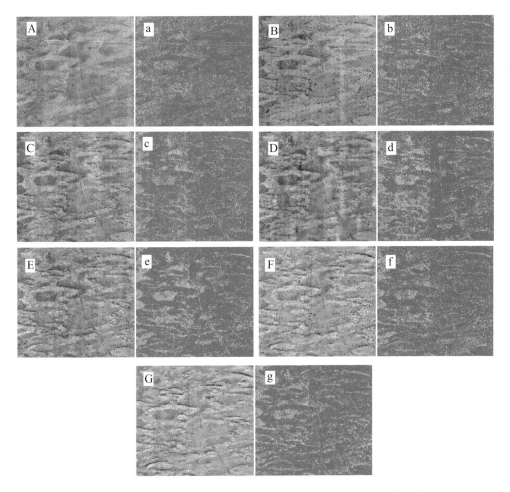

图 3-8 浑善达克沙地榆树疏林草原长期定位监测大样地 **2017** 年生长季不同

时期正射数影像(分辨率:**2. 67** 厘米/像元)和植被分类结果

注:影像采集日期:A:5 月 8 日,B:6 月 14 日,C:7 月 12 日,D:8 月 7 日,E:9 月 1 日,

F:9 月 24 日,G:10 月 24 日;分类后的植被类型图 a~g(绿色代表木本植被,蓝色代表草本植被,

灰色代表非植被类型)。

的正射影像(图 3-8E)显示植被进入到衰落阶段,图中绿色植被范围变小,
此时的植物类型分布图(图 3-8e)显示草本植物的分布面积开始减少,其中
样地右侧尤其明显。至 9 月末,样地绿色植被已全部枯黄(图 3-8F)。生长
季末期(图 3-8G)中植被已无绿色叶片,植物类型分布图(图 3-8g)中的木
本植物和草本植物多为乔灌木的枝干和草本的枯落物。

(二)植被覆盖度生长季动态

生长季不同时期木本植物和草本植物覆盖度动态呈单峰分布(图 3-
9),木本植物覆盖度最低值为 17%,最高值为 22%,整个生长季变化不大，均值为 19%±2%。相对木本植物，草本植物覆盖度在生长季内变化较大，最低值为 37%，最高值为 61%，整个生长季均值为 50%±8%。木本与草本植被覆盖度最高值均出现在生长期中期，但木本植物覆盖度最低值出现在生长季初，草本植物覆盖度最高值出现在生长季末。植物总覆盖度受木本植被与草本植物共同影响，最低值为 55%，最高值为 83%，其分别出现在生长季末和生长季中，整个生长季均值为 69%±9%。

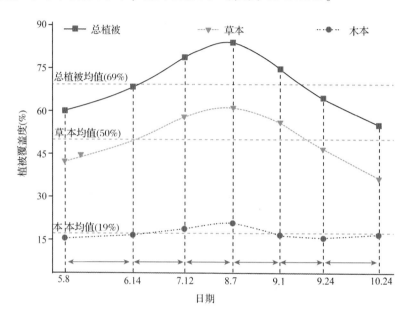

图 3-9　浑善达克沙地榆树疏林草原长期定位监测大样地 2017 年
生长季木本植被、草本植物和植被总植被覆盖度动态

由图 3-9 可见，植被盖度增加最快的阶段为 6~7 月，草本植物盖度变化速率要高于木本植物，原因可能是草本没有枝干其盖度变化主要受叶片影响。进入衰落期的木本和草本植物盖度变化速率都要高于生长期。

（三）木本和草本植物对植被总覆盖度的贡献

计算生长季 7 个时期草本植物和木本植物对植被总盖度的贡献率，由图 3-10 可见，草本植物对植被总覆盖度贡献最低为 67%，均值为 73%；木本植被对植被总覆盖度贡献最高为 33%，均值为 27%。在生长季初期和中期，草本植物贡献率为 72%~76%，木本植被贡献率为 24%~28%，两者对植被总盖度的贡献保持稳定。生长季末期，由于草本植物完全枯萎，木本植物对植被总覆盖度的贡献上升到 1/3。相对于较为稳定的木本植被，草本植物覆盖度受外界环境影响较大，整个生长季草本植物对植被总盖度的贡献远大于木本植物，因此榆树疏林草原植被的盖度主要受草本植物的盖度影响。

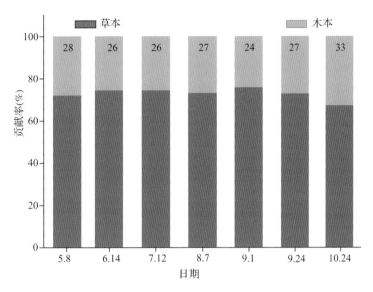

图 3-10　2017 年浑善达克沙地榆树疏林草原长期定位监测大样地生长季
不同时间木本植被和草本植物对总植被覆盖度的贡献

无人机遥感影像数据获取时间灵活、图像空间分辨率高(<10 厘米分辨率)，相比于有人机和高空间分辨率的卫星影像，无人机遥感降低了数据获取成本，避免了云层对图像的影响，甚至可以在阴天条件下进行影像数据采集，也成为用于校准卫星遥感观测的理想工具。无人机系统在生态学应用研究弥补了现有样地尺度地面调查与区域尺度卫星遥感的尺度差距，实现了景观尺度的高分辨率植被观测。无人机植被平台飞行时间灵活、运行成本低，十分适合用于环境频繁变化的多次植被影像数据采集。

研究人员应用卫星遥感对浑善达克沙地的植被覆盖度变化趋势进行了研究，但是利用卫星影像只能评估区域整体植被覆盖度。本研究利用高空间分辨率的无人机遥感影像，实现了木本和草本两种植被类型生长动态评估，结果表明榆树疏林生态系统中木本植物覆盖度在整个生长季变化较小，对植被总覆盖度的平均贡献率低于30%；而草本植物覆盖度在生长季内变化幅度更大，植被总覆盖度的变化主要受草本植物覆盖度的影响。由于干旱区植被分布稀疏，相比卫星影像，无人机植被监测平台获取的高空间分辨率影像更易于在干旱区提取植被结构信息和监测生境质量。

本节推荐的无人机植被监测平台主要包括飞行方案规划、原始影像获取、基础数据产品生产和图像自动分析。研究首次获取了浑善达克沙地榆树疏林草原生态系统木本植物和草本植物覆盖度的生长季动态，结果表明该生态系统植被总覆盖度的变化主要受草本植物的影响。对榆树疏林草原生态系统植被生长季动态观测证明，无人机植被监测平台是一种高效、准确的植被监测工具，未来也可用于人难以到达区域的植被监测和评估。

第五节　典型荒漠生态系统的质量评估

人为干扰和自然环境变化都会导致干旱区生态质量变化。如何全面评估干旱区生态系统质量变化是近年来生态环境学领域的研究热点之一。我国自 2000 年开始进行长期、大规模的国家生态修复项目。针对生态修复项目实施后我国北方特定干旱区生态系统的生态质量变化研究较少。本节主要内容包括：基于 1OAO 原则建立评估框架，整合生态系统质量的评估指标；评价 2000—2014 年浑善达克沙地生态质量的时空格局。本研究将为华北干旱区生态系统管理决策提供科学依据。该评估框架可用于全球干旱区生态质量评估和区域间生态质量比较，对于提高全球生态系统管理具有重要意义。

一、研究区域概况

干旱生态系统约占地球陆地表面的 41%，为约 20 亿人口提供生态服务（Reynolds et al.，2007）。由于低降水量和强太阳辐射，干旱区生态系统的植物生产力较低（Maestre et al.，2016）。人为干扰和气候变化极易导致干旱区生态系统质量发生变化，例如退化或提高（Pan et al.，2016；Scheffer et al.，2001）。浑善达克沙地地处中国北方和东北亚大陆的地理中心，被认为是亚洲东北部地下水的补给源（Yang et al.，2015；Zhu and Ren，2018），位于内蒙古自治区（112°22′~117°57′E，41°56′~44°24′N）。该地区占地约 53000 平方公里（图 3-11），平均海拔为 1300 米。年平均温度为 1.8℃，年最高温度为 37℃，年最低温度为−40℃。年平均降水量从东南的 350~400 毫米到西北的 100~200 毫米不等，夏季降水量占年降水量 50%。年平均蒸发量为 2306 毫米。主要土壤类型为栗土和棕色钙质土壤。典型的植被是榆树和灌木，以及羊草蒿类（冰草，糙隐子草，沙蒿和冷蒿)。放牧是该地区的主要经济活动。由于土地退化，地表植被破坏，自 20 世纪 80 年代开始，浑善达克沙地成为中国北方的主要沙尘暴来源之一(Zheng et al.，2006；Li et al.，2011；Li et al.，2015)。

　　国家生态修复项目是中国北方生态系统恢复的重要推动力(Lu et al.，2018；Chen et al.，2019)。为了防止土地退化，我国政府在华北地区实施了一系列生态系统恢复项目，如京津冀风沙源治理项目(2001—2022 年)、退耕还林项目(2003 年至今)和退牧还草项目(2003 年至今)(Lu et al.，2018；Runnström，2000；Wang et al.，2013)。已有研究主要集中在整个北方地区的荒漠化或植被恢复趋势分析(Chen et al.，2019；Wang et al.，2020)。浑善达克沙地位于中国北方的农牧过渡带，是我国生态恢复政策影响最大的地区。实施国家生态修复项目 15 年后，浑善达克沙地的整体生态系统质量是否发生了变化目前并不清楚。

　　目前用于评估生态质量的方法较多，例如，层次分析法、决策树评估和 PSR(压力—状态—响应)框架等。多数方法通过计算子指标得分值的加和或者加权平均值进行评估。因此，其中一项指标的降低可能被另一项指标的增加所掩盖(Sims et al.，2019)。而每个指标对生态系统退化或恢复的敏感性不同，变化速率差异较大。例如，植被盖度可能受降水影响数月内发生变化，或者由于土地利用方式改变几天内发生变化。相反，SOC 库的变化可能需要几年时间才能对土地覆盖或植被生产力的变化做出响应(Smith，2004)。生态系统质量应取决于评价指标的最差状态(Borja et al.，2014)。"1OAO"的原则是如果评价单元的所有指标之一为退化，则评价单元为退化(Cowie et al.，2018)。1OAO 可用于对于环境压力具有不同敏感性指标的整合(Borja et al.，2014；Caroni et al.，2013)。此外，1OAO 中，所有评估指标不通过相加或相乘的方式相整合，避免了加权平均或者相乘计算中某一指标退化状态的识别(Cowie et al.，2018；Sims et al.，2020)。

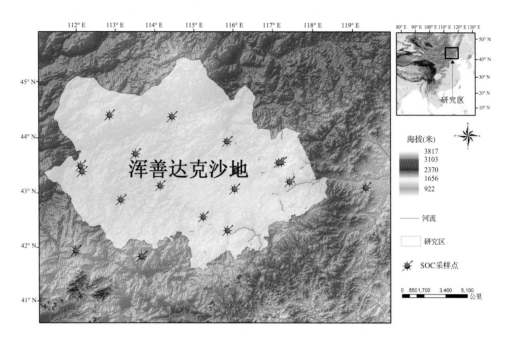

图 3-11　浑善达克沙地土壤有机质采样点分布

二、荒漠生态系统质量评估数据源

(一)植被数据产品

NDVI 和 NPP 来自于 MODIS 2000—2014 年 1 公里空间分辨率的 MOD13A3 和 MOD17A3 数据产品中提取了 MODIS NDVI 和 NPP。

(二)土壤有机碳数据

已有公开数据中，没有 2000—2014 年的 SOC 数据产品。由于 SOC 的变化通常在土地利用方式改变的数年后发生(Smith，2004)，因此使用了 1993—1996 年第二次全国土壤调查的世界土壤数据库(HWSD)V1.2 数据集作为本研究中的 SOC 基准。2010 年通过土壤采样获得研究区的森林、草地和灌木植被下的 SOC 储量，将此作为目标 SOC 储量(Liu et al.，2018)。根据 2010 年土地利用图(空间分辨率 500 米，http://www.resdc.cn)将采样点的 SOC 数据插值到栅格数据，并重新采样至 1 公里以匹配 NDVI 和 NPP 空间分辨率。

(三)DSS 数据

20 世纪 80 年代以来，浑善达克沙地是中国北方沙尘暴主要的重要来源之一（Zou and Zhai，2004）。浑善达克发生的 DSS 是由于当地的植被和降水减少造成的（Wu et al.，2012）。本研究中的 DSS 数据集作为大气质量指标来分析浑善达克生态质量变化。DSS 数据集来源于中国国家气象信息中心。使用普通克里金法将点数据插值到 1 公里栅格中。

三、基于"1OAO"荒漠生态质量综合评价框架

荒漠生态质量评估框架使用了 4 个指标：归一化植被指数（NDVI）、净初级生产力（NPP）、土壤有机碳（SOC）和沙尘暴（DSS）来分别代表植被、土壤和大气质量。生态系统质量由所有指标的最差状态决定。本研究中的生态质量由 3 个二级指标整合计算，分别为代表植被、土壤和大气质量的土地生产率，土壤有机碳（SOC）储量和沙尘暴（DSS）。植被质量由三级指标 NDVI 和 NPP 整合计算，反映了植被覆盖度和净初级生产力的变化。SOC 含量和每年发生的 DSS 天数分别代表土壤和大气质量。综合评价流程图如图 3-12 所示。

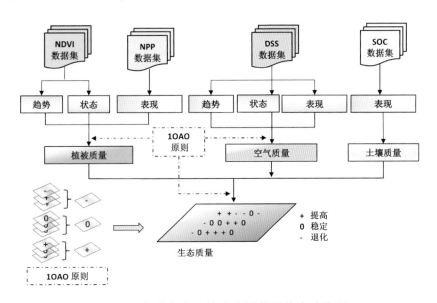

图 3-12 荒漠生态系统生态质量评估方法流程

趋势（trend）、状态（state）和表现（performance）根据《联合国防治荒漠化公约》（UNCCD）实践指南计算（Sims et al.，2017）。三级指标的趋势、状态和性能以及二级指标植被、大气质量和土壤质量的整合均基于 1OAO 原则（图 3-12）。指标整合结果具有三个水平：提高、稳定和退化。如果同一评价单元所有指标其中之一是退化，则该评价单位被视为退化。如果同

一评价单元的指标之一是改善而其他指标是稳定的，则该评价单元将被视为提高。如果同一评价单元所有指标都是稳定的，则该评价单元将被认为是稳定的。

主要步骤如下：通过 ArcGIS 软件拟合数据集线性回归的斜率作为趋势。评价指标的显著增加、显著减少和无显著变化分别为提高、退化和稳定，基于 t 检验确定变化显著性。状态是同一评价单元的目标值和基准值之间的差。目标和基准值分别为 2011—2014 年和 2000—2010 年评价单元评价指标的平均值。通过 min-max 归一化法将所有指标值标准化为 [0，10]，状态的提高和降低取决于目标相对于基准值的增量≥2 或减少≤-2。稳定状态由增量<2 或减小> -2 确定。表现表示与最大潜力值相比，评价单元的表现。表现是目标值（2011—2014 年平均值）与同一评价单元的历年最高值的比。NPP 和 DSS 的表现包括两个等级：退化或稳定分别为目标与基准的比<0.5 或≥0.5。SOC 含量的退化或提高分别为目标相对于基准分别降低了-10% 或提高了 10% 以上（Sims et al.，2019）。SOC 含量的稳定为 SOC 减少≥-10% 或增加≤10%。

四、浑善达克沙地生态质量评价结果

(一)浑善达克沙地植被、土壤和大气质量的时空变化

基于"1OAO"原则，以 1 公里 × 1 公里的网格作为评估单元，计算出评价指标的趋势、状态和表现，然后对植被、土壤和大气质量时空变化进行评估。

浑善达克沙地的植被质量根据 2000—2014 年 NDVI 的趋势和状态以及 NPP 的表现计算（图 3-13A，B 和 C）。NDVI 趋势和状态改善的区域约为 5%，稳定区域约为 94%，主要位于浑善达克沙地的东南部（太仆寺旗、多伦、正蓝旗、克什克腾旗）、中部和东北部（阿巴嘎旗和锡林浩特）（图 3-13A 和图 3-13B）。植被的表现由 NPP 计算，用于说明一个地区的植被生产率相对于最高生产率的比例。植被生产力下降的地区主要在浑善达克沙地的西部（苏尼特左旗和苏尼特右旗）和东部（克什克腾旗）（图 3-13C）。植被质量的时空格局如图 3-13D 所示。植被质量提高的区域主要位于浑善达克沙地的东南部（太仆寺旗、多伦、正蓝旗和克什克腾旗）、中部和东北部（阿巴嘎旗和锡林浩特）（图 3-13D）。退化地区主要在浑善达克沙地的

西部(苏尼特左旗和苏尼特右旗)、东北(克什克腾旗和锡林浩特的一部分)。总体而言,2000—2014年浑善达克植被质量的提高面积和退化面积分别占整个区域面积的5%和4%。

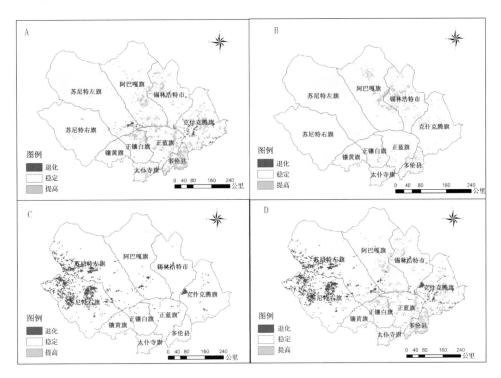

图3-13　近15年浑善达克沙地植被质量趋势(A)、状态(B)和表现(C)
以及植被综合质量(D)变化的空间分异(2000—2014年)

土壤质量是通过SOC含量的表现计算。提高区主要位于西部(苏尼特左旗和苏尼特右旗的西部)、中部和东北部(锡林浩特)(图3-14)。土壤质量的退化地区主要在西南(苏尼特右旗、镶黄旗和正镶白旗)、北部(苏尼特左旗、阿巴嘎旗)和东部(克什克腾旗)(图3-14)。总体而言,2000—2014年间土壤质量的改善和退化面积分别占整个面积的43%和25%。

空气质量由DSS天数的趋势、状态和表现来计算。2000—2014年间DSS天气主要发生在浑善达克西部(苏尼特左旗和苏尼特右旗)(图3-15A)。浑善达克沙地的大部分地区DSS天数的趋势和状态显著下降(图3-15B)。总体而言,空气质量改善面积占整个面积的93%。

如何整合代表生态系统特征的指标是生态质量评估的关键。常用的方法是对指标进行归一化以消除单位的影响并根据权重将指标相加或者相乘(Raji et al.,2019;Ramanathan,2001;Sun et al.,2016;Wu et al.,

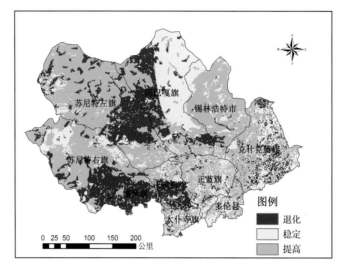

图 3-14　2000—2014 年浑善达克沙地土壤质量变化空间分布

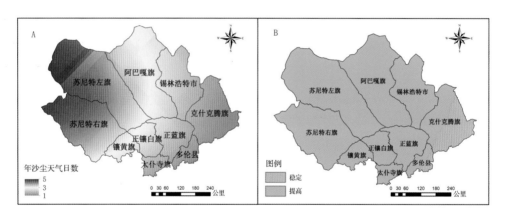

图 3-15　2000—2014 年浑善达克沙地沙尘暴发生平均日数（A）和变化空间分异（B）

2018）。权重根据专家打分法计算，例如通过层次分析法（AHP）中的计算
（Schmoldt et al.，2013）。由于专家打分结果不同，同一区域的生态质量
评估框架可能具有不同的指标权重（Ramanathan，2001；Toth and Vacik，
2018）。而由于评估框架不同，无法比较相同或相似区域的生态质量。应
用"1OAO"原则整合指标可以克服上述影响。首先，基于"1OAO"原理的
指标整合方法避免了专家个人的影响。如果评估框架使用相同的指标和指
标基准值，不同干旱区生态质量可以相互比较。其次，该方法避免了指标
的相加或者相乘。同一评价单元中的"较高"指标值不会掩盖"较低"指标
值（Cowie et al.，2018）。对于脆弱的干旱区生态系统，"1OAO"原则的评
估框架可以追踪所有潜在的退化区域。该框架还可以促进干旱区生态质量

区域间的比较，并有助于改善全球生态系统管理(Geist 和 Lambin，2004；Reynolds et al.，2007)。

(二)浑善达克沙地生态质量时空变化

浑善达克沙地的生态质量变化分为提高、稳定和退化三个级别。生态质量提高区、稳定区和退化区分别占浑善达克沙地的 63%，8% 和 29%(表3-2)。2000—2014 年的生态质量定量评估显示：浑善达克沙地大部分地区的生态质量有所改善。如图 3-16 所示，改善区主要位于中部(太仆寺旗、多伦和正蓝旗)，退化地区主要在西部(苏尼特右旗、苏尼特左旗、镶黄旗、正镶白旗和阿巴嘎旗)。

表 3-2　浑善达克沙地各区生态质量提高、稳定和退化面积百分比(2000—2014 年)

地区	退化面积百分比(%)	稳定面积百分比(%)	提高面积百分比(%)
锡林浩特	1	1	10
阿巴嘎	5	0	13
苏尼特左旗	7	0	16
苏尼特右旗	7	0	10
太仆寺	0	0	2
镶黄旗	3	0	1
多伦	0	1	2
克什克腾旗	3	4	4
正镶白旗	2	0	2
正蓝旗	1	2	5
浑善达克	29	8	63

浑善达克沙地植被质量提高和退化面积分别占整个面积的 5% 和 4%。该结果与 Wu 等(2013)的研究结果相似。浑善达克沙地 75% 地区的 SOC 得以提高和稳定。这可能是由于 2000—2014 年间植物生产力稳定(Meersmans et al.，2011；Sun et al.，2019)，因为植被是 SOC 库的来源。与植被和土壤质量相比，通过 DSS 天计算的大气质量提高面积最大(93%)。浑善达克的 DSS 主要是由于当地的植被和降水减少造成的(Wu et al.，2012；Zou and Zhai，2004)。干旱区的植被恢复减少了该区域的 DSS 天数(Middleton，2018)。

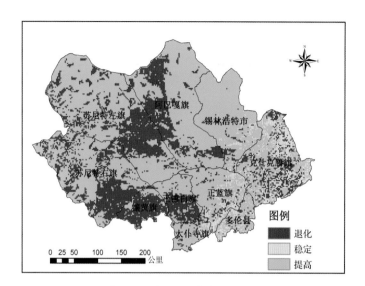

图 3-16 2000—2014 年近 15 年浑善达克沙地生态质量变化空间分异

　　本章节提出的荒漠生态系统质量评估框架，可应用于全球干旱区生态质量评估，区域间生态质量比较，对于提高全球的生态系统管理具有重要意义。

第四章 荒漠生态系统服务评估

第一节 荒漠生态系统服务的界定与分类

一、荒漠生态系统服务界定

生态系统服务（ecosystem services）概念由 Ehrlich and Ehrlich（1981）于 20 世纪 80 年代正式提出，但是，直到 20 世纪 90 年代末，随着 Costanza et al.（1997）一文和 Daily（1997）一书的发表，生态系统服务才得到广泛关注。此后，许多学者与研究机构（如 MEA，2005；Turner et al.，2008；TEEB，2010）对生态系统服务概念进行了界定。目前国内外普遍接受由联合国千年生态系统评估（Millennium Ecosystem Assessment，MEA）给出的定义。MEA（2005）把生态系统服务界定为"人们从生态系统获取的惠益"。随后，生态系统与生物多样性经济学（the economics of ecosystems and biodiversity，TEEB）把生态系统服务界定为"生态系统对人类效益的直接或间接贡献"（TEEB，2010）。TEEB 对生态系统服务的定义与 MEA 的最初定义基本一致。在联合国 2012 环境经济核算系统—试验性生态系统核算（System of Environmental-Economic Accounting 2012-Experimental Ecosystem Accounting，SEEA-EEA）中，生态系统服务是指"生态系统对经济活动及其他人类活动效益的贡献"（SEEA-EEA，2014）。与 MEA 和 TEEB 的定义相比，SEEA-EEA 对生态系统服务的定义排除了支持类服务，目的是为了避免在生态系统核算时产生重复计算问题。

国内学者一般普遍认可并直接采用 MEA 或 TEEB 等国际机构对生态系统服务的定义（李文华，2008；欧阳志云等，2018）。在 MEA 生态系统服务定义的基础上，卢琦等（2016）把荒漠生态系统服务（desert ecosystem service)界定为"人们从荒漠生态系统获取的惠益"。本报告将采用这一荒漠生态系统服务定义。

需要指出的是，有些国内学者习惯把"ecosystem services"翻译为"生态系统服务功能"，但是本报告不使用"生态系统服务功能"这一概念，而是直接使用生态系统服务。由于生态系统服务与生态系统功能是两个既有区别又紧密联系的概念（冯剑丰等，2009），使用"生态系统服务功能"易于造成概念上的混淆。

生态系统功能（ecosystem functions）是指生态系统的各种生境的、生物的或系统的特点或过程，而生态系统服务是人们直接地或间接地从生态系统功能中获得的收益（Costanza et al.，1997）。一般而言，生态系统提供三大最基本的功能，即物质循环、能量流动和信息传递（尚玉昌，2010）。生态系统功能反映了生态系统的自然属性，其取决于生态系统的结构与过程，是生态系统提供服务的潜力，即使没有人类的需求，生态系统功能依旧存在。生态系统服务则反映了人类对生态系统功能的利用，基于人类的需求、利用和偏好，是生态系统功能满足人类福利的一种表现。可见，生态系统服务的研究与保护必然建立在生态系统功能研究与保护的基础之上（李文华，2008），本报告将在荒漠生态系统功能评估的基础上开展荒漠生态系统服务评估。

二、荒漠生态系统服务分类

（一）MEA的生态系统服务分类

MEA（2005）把生态系统服务划分为四大类，包括供给服务（provisioning services）、调节服务（regulating services）和文化服务（cultural services），以及维持这3种服务所必需的支持服务（supporting services），如图4-1。供给服务是指人们从生态系统获取的产品，包括食物、纤维、淡水、燃料、天然药材和药品、遗传资源等。调节服务是人们从生态系统过程调节中获取的收益，包括空气质量维持、气候调节、水资源调节、水质净化、侵蚀控制、人类疾病调控、授粉等。文化服务是指人们通过精神享受、消遣娱乐、美学体验等从生态系统获得的非物质收益。支持服务是对提供所有上述三类生态系统服务所必不可少的服务，包括初级生产、土壤形成、养分循环等。供给服务、调节服务、文化服务对人们的福祉产生直接影响，而支持服务对人们福祉的影响是间接的，通过其他三类服务产生影响。

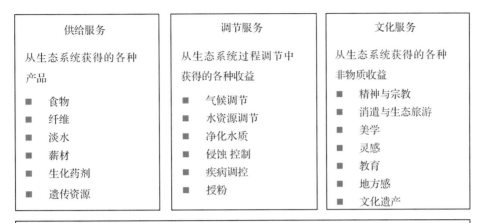

图 4-1 MEA 的生态系统服务分类

(二)荒漠生态系统服务类型

基于我国的实际情况，把荒漠生态系统服务划分为防风固沙、土壤保育、水资源调节、固碳、生物多样性保育、景观游憩六大类(卢琦等，2016)。按照 MEA 对生态系统服务类型的划分，防风固沙、土壤保育、水资源调节、固碳、生物多样性保育属于调节服务，景观游憩属于文化服务。本研究与联合国环境经济核算系统—试验性生态系统核算(SEEA-EEA，2014)保持一致，没有评估荒漠生态系统提供的支持服务，因为支持类服务的价值大部分已间接地体现在供给服务、调节服务或文化服务的价值之中。本研究也没有考虑供给服务，这是因为生态系统提供的供给服务大部分已为现行的国民经济核算体系所考虑，已包括在国内生产总值(GDP)之中。本研究重点关注与评估荒漠生态系统提供的调节服务与文化服务。

1. 防风固沙

防风固沙(wind break and sand fixation)是荒漠生态系统提供的最为重要的服务(程磊磊等，2013)。固沙服务主要表现在荒漠植被与土壤结皮等降低风沙流动，从而减少生产与生活方面的风沙损害。防风服务主要表现在荒漠地区的农田防护林能够增加防护范围内农作物的产量，牧场防护林能够促进牧草生长、庇护牲畜、提高畜牧业生产力，具有增加种植业与畜牧业生产力的效益。相较于其他生态系统而言，防风固沙是最具有荒漠生态系统特点的生态服务。

2. 土壤保育

土壤保育（soil conservation）是陆地生态系统提供的一项基本生态服务。荒漠生态系统的土壤保育服务主要体现在两方面，一是沙尘搬运后形成有利于生物生存和发展的土壤，即新土壤形成；二是荒漠植被和土壤结皮在固定土壤的同时，也保留了土壤中氮、磷、钾和有机质等营养物质，减少土壤养分流失。

3. 水资源调控

水资源是荒漠生态系统正常运转、保持生态平衡的限制性因素，也是荒漠生态系统中能量流动、物质循环的重要载体。水资源调控（water resource regulation）是荒漠生态系统提供的重要服务之一，通过荒漠植被和土壤等影响水分分配、消耗和水平衡等水文过程，主要体现在淡水提供、水源涵养和气候调节三个方面（肖生春等，2013）。水汽在荒漠生态系统的地表、土壤空隙、植物枝叶和动物体表上遇冷凝结成水，是荒漠地区浅层淡水的主要来源；荒漠生态系统面积巨大，土壤渗透性好，能把大气降水和地表径流加工成洁净的水源，汇聚成储量丰富的地下水库。

4. 固碳

固碳（carbon sequestration）是荒漠生态系统提供的一种重要的气体调节服务，在维持大气中二氧化碳的动态平衡、减缓温室效应以及为人类生存提供最基本条件方面有着不可替代的作用，不仅包括植被固碳，还包括土壤固碳。广袤荒漠上的植物通过光合作用固碳，并再分配形成总量可观的植被碳库和土壤碳库。

5. 生物多样性保育

生物多样性保育（biodiversity conservation）是荒漠生态系统的核心服务之一。我国荒漠生态系统地域宽广，拥有独特且多样的物种和基因资源，为许多珍稀物种提供了生存与繁衍的场所。

6. 景观游憩

荒漠生态系统既拥有沙漠胡杨林、鸣沙山、月亮湖、魔鬼城、海市蜃楼等景观独特的自然景观，还存留了敦煌莫高窟、楼兰遗址、高昌古城等人文历史景观，吸引人们观光旅游、休闲度假、科学考察、探险等。

此外，沙尘生物地球化学循环是荒漠生态系统提供的最为独特的功能。从全球尺度上看，沙尘的生物地球化学循环具有"阳伞效应""冰核效应"和"铁肥料效应"等效应（卢琦等，2015）。我国是亚洲沙尘的重要源区之一，大量的沙尘在北太平洋、中国近海等海洋区域沉降，在减缓气候变暖、中和酸雨以及为海洋浮游生物提供铁元素等方面发挥着重要功能。

三、荒漠生态系统服务关系识别

生态系统服务之间的关系分为权衡与协同两大类。可根据共同驱动因素对多种生态系统服务的效应以及与这些生态系统服务之间的相互作用，来具体剖析生态系统服务之间的权衡或协同关系（Bennett et al.，2009）。共同驱动因素可能显著影响多种生态系统服务，如果其在增强一种生态系统服务的同时却减弱另一种生态系统服务，则这两种生态系统服务之间就存在权衡关系；如果其同时增强或减弱两种生态系统服务，则这两种生态系统服务之间存在协同关系。进一步，生态系统服务之间的相互作用可能是单向的或双向的，可能是正作用或负作用，这都会增加权衡或协同关系的复杂性。

我国荒漠化防治措施主要包括封育、飞播和人工植树种草等。作为驱动因素，这些措施的实施会显著影响多种荒漠生态系统服务。实施封育、飞播或人工植树种草都有助于恢复荒漠化地区的植被，最直接、最重要的影响就是提升荒漠生态系统的防风固沙服务，同时还将提升保育土壤养分、固碳、调控水资源等生态服务。在这些措施下，上述荒漠生态系统服务之间通常表现为协同关系，但是这些服务之间的生物物理关系较为复杂，很难定量衡量。荒漠生态系统还提供形成新土壤服务，此服务与上述的防风固沙、保育土壤养分、固碳、调控水资源等服务之间通常表现为权衡关系。保育生物多样性服务与多数荒漠生态系统服务之间的关系，在不同荒漠化防治措施下差异较为明显。按照封育、飞播、人工植树种草的顺序，生物多样性保育与防风固沙、土壤养分保育、固碳等生态服务之间的协同关系由强变弱。景观游憩服务与其他荒漠生态系统服务之间不存在明确的协同或权衡关系，需要根据研究区域自然条件与社会经济条件，以及实施的荒漠化防治措施来具体分析。此外，荒漠生态系统的供给服务在本研究中没有考虑，其与荒漠生态系统提供的各种调节服务、支持服务之间通常表现为权衡关系。

第二节　荒漠生态系统服务的评估指标体系

一、评估指标体系

荒漠生态系统功能与服务评估体系是描述和评估荒漠生态系统功能实物量与服务价值量的基本框架，是开展定量评估的基础和前提。结合我国荒漠生态系统的背景特征、主要问题以及不同区域的生态条件等，国家林业行业标准《荒漠生态系统服务评估规范》(LY/T 2006—2012)(以下简称《规范》)选取针对性较强、能够反映荒漠生态系统主要特征的指标，构建了荒漠生态系统功能与服务评估体系。该评估体系包括防风固沙、土壤保育、水资源调控、固碳、生物多样性保育和景观游憩 6 大类 12 个亚类。

本研究在《规范》所构建的荒漠生态系统服务评估指标体系基础上，参考卢琦等(2016)和程磊磊等(2016)的研究，完善了荒漠生态系统服务评估指标体系，如图 4-2。与卢琦等(2016)相一致，本研究把水资源调控服务细分为淡水供应、水源涵养和气候调节，而没有遵循《规范》把水资源调控服务分为荒漠储水、净化水质和凝结水；在固碳服务中增加了由沙尘循环促进的海洋生物固碳，卢琦等(2016)的估算结果表明，由沙尘循环促进的海洋生物固碳量大于荒漠植被与土壤固碳量；在景观游憩服务中保留了荒漠旅游，但去掉了荒漠就业，因为荒漠就业价值已包括在荒漠旅游价值之中。

二、评估方法

(一)防风固沙

防风固沙服务包括固沙与区域防护。

1. 固沙

固沙服务的实物量指标为固沙量，固沙量与其对应的价值量评估公式如下：

$$Q_{sf} = A_1(q_{sf,0} - q_{sf,1}) + A_2(q_{sf,0} - q_{sf,2}) + A_3(q_{sf,0} - q_{sf,3}) + A_4(q_{sf,0} - q_{sf,4})$$

$$V_{sf} = c_{sf} Q_{sf}$$

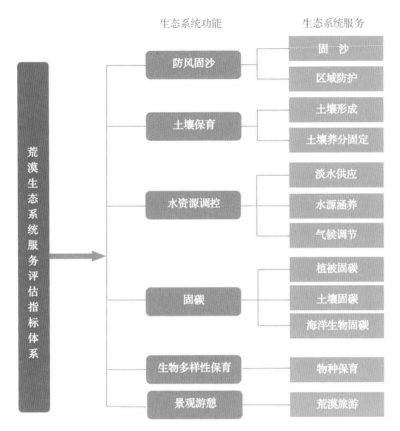

生态系统功能　　　　　生态系统服务

图 4-2　荒漠生态系统功能评估与服务价值核算体系

式中：Q_{sf} 为荒漠生态系统的固沙量（吨）；A_0、A_1、A_2、A_3 和 A_4 分别为流动沙地、半固定沙地、固定沙地、戈壁和其他沙地（包括露沙地、沙化耕地、风蚀残丘、风蚀劣地、非生物工程治沙地）的面积（公顷）；$q_{sf,0}$、$q_{sf,1}$、$q_{sf,2}$、$q_{sf,3}$ 和 $q_{sf,4}$ 分别为上述 5 类沙地的风蚀模数（吨/公顷）；V_{sf} 为固沙服务的价值（元）；c_{sf} 为单位重量沙尘清理费用（元/吨）。

固沙服务评估方法中最为关键的参数是风蚀模数。该参数的估算需要先估测风蚀深度，而风蚀深度可借助土壤风蚀模型来估算。经估测算，2009 年乌兰布和沙漠典型流动沙丘的累计风蚀深度为 3.443 厘米，对应的风蚀模数为 465 吨/公顷（卢琦等，2016）。

2. 区域防护

区域防护的实物量指标为防护林所带来的粮食增产量和畜牧增产量，粮食和畜牧增产量与其对应的价值量评估公式如下：

$$Q_{lpc} = A_{lpc} R_{lpc} Y_c$$

$$Q_{lpl} = A_{lpl} R_{lpl} Y_l$$

$$V_{lp} = c_{lpc}Q_{lpc} + c_{lpl}Q_{lpl}$$

式中：Q_{lpc} 为荒漠生态系统内由于农田防护林存在而增加的粮食产量（吨）；A_{lpc} 为防护林所能够防护的农田面积（公顷）；R_{lpc} 为粮食增产率（%）；Y_c 为粮食平均单产（吨/公顷）；Q_{lpl} 为荒漠生态系统内由于牧场防护林存在而增加的畜牧业产量（吨）；A_{lpl} 为防护林所能够防护的草地面积（公顷）；R_{lpl} 为畜牧承载力增加率（%）；Y_l 为单位草地畜牧承载力（只羊/公顷）；V_{lp} 为区域防护服务的价值（元）；c_{lpc} 为粮食单价（元/吨）；c_{lpl} 为羊的价格（元/只）。

区域防护服务评估中最为关键的是确定防护林的粮食增产系数与畜牧增产系数，以及确定防护林所防护的农田面积与草地面积。

（二）土壤保育

土壤保育服务主要包括新土壤形成与减少土壤养分流失。

1. 土壤形成

土壤形成的实物量指标是形成新土壤数量，新土壤形成数量与其价值评估公式如下：

$$Q_{we} = A_0 q_{sf,0} + A_1 q_{sf,1} + A_2 q_{sf,2} + A_3 q_{sf,3} + A_4 q_{sf,4}$$
$$Q_{sfm} = Q_{we}R_{sfm}/\rho_{sd}$$
$$V_{sfm} = c_{sfm}Q_{sfm}$$

式中：Q_{we} 为荒漠生态系统中每年由风蚀流失的土壤数量（吨）；Q_{sfm} 为形成新土壤数量（立方米）；R_{sfm} 为流失土壤中形成新土壤的比例（%）；ρ_{sd} 为土壤容重（吨/立方米）；V_{sfm} 为土壤形成服务的价值（元）；c_{sfm} 为挖取和运输单位体积土方所需费用（元/立方米）。

2. 土壤养分固定

土壤养分固定的实物量指标包括土壤氮保育量、磷保育量和有机质保育量，这些实物量指标与其对应的价值量评估公式如下：

$$Q_{ncN} = Q_{sf}R_N$$
$$Q_{ncP} = Q_{sf}R_P$$
$$Q_{ncOM} = Q_{sf}R_{OM}$$
$$V_{nc} = c_{ncN}Q_{ncN} + c_{ncP}Q_{ncP} + c_{ncOM}Q_{ncOM}$$

式中：Q_{ncN}、Q_{ncP}、Q_{ncOM} 分别为荒漠生态系统的土壤氮保育量、磷保育量、有机质保育量（吨）；R_N、R_P 和 R_{OM} 分别为荒漠土壤平均含氮量、含磷量和有机质含量(%);V_{nc} 为土壤固定服务的价值(元);c_{ncN}、c_{ncP}、c_{ncOM} 分别为利用化肥市场价格折算出的氮、磷和有机质的价格(元/吨)。

土壤保育服务评估需要在固沙量估算的基础上,进一步确定新土壤形成比例以及荒漠土壤中氮、磷、有机质等营养物质的含量等关键参数。

(三)水资源调节

水资源调节服务包括淡水提供、水源涵养和气候调节。

1. 淡水提供

荒漠生态系统内淡水资源主要来源于区域降水补给地下水和境外河流入境补给的径流量两部分。淡水提供服务的实物量指标是淡水供给量,荒漠生态系统的淡水供给量与其价值量评估公式如下:

$$Q_{fwp} = W_{swr} + W_{gws}$$

$$V_{fwp} = c_{fw} Q_{fwp}$$

式中:Q_{fwp} 为荒漠生态系统的淡水提供量(立方米);W_{swr} 为地表径流量(立方米);W_{gws} 为补给地下水量(立方米);V_{fwp} 为淡水供给服务的价值(元);c_{fw} 为水价(元/立方米)。

2. 水源涵养

荒漠生态系统水源涵养的物质流包括降水补给土壤、地下水和入境径流量。水源涵养的实物量与价值量评估公式如下:

$$Q_{wsc} = W_{scw} + W_{gws} + W_{rso}$$

$$V_{wsc} = c_{wsc} Q_{wsc}$$

式中:Q_{wsc} 为荒漠生态系统水源涵养量(立方米);W_{scw} 为土壤储水量(立方米);W_{rso} 为区外径流补给量;V_{wsc} 为水源涵养服务的价值(元);c_{wsc} 为水库库容单位造价(元/立方米)。

3. 气候调节

气候调节主要包括:直接用于蒸发的无效降水,湖泊水面蒸发,降雨补给存储于土壤植被消耗的蒸腾量,用于隐花植物利用短时蒸发的凝结水。气候调节的实物量与价值量评估公式如下:

$$Q_{cr} = W_{ip} + W_{scw} + W_{dew} + W_{ews}$$

$$V_{cr} = c_{cr} Q_{cr}$$

式中:Q_{cr} 为荒漠生态系统气候调节量(立方米);W_{ip} 为无效降水量(地表蒸发)(立方米);W_{scw} 为土壤储水量(植物蒸腾)(立方米);W_{dew} 为

凝结水量(立方米);W_{ews} 为水面蒸发量(立方米);V_{cr} 为气候调节服务的价值(元);c_{cr} 为气候调节价值通量(元/立方米)。

(四)固 碳

固碳服务包括植被固碳、土壤固碳和沙尘循环促进海洋生物固碳。

1. 植被与土壤固碳

选取典型研究区,在野外调查的基础上,建立生物量遥感估算模型,然后对全国荒漠生态系统内植被生物量进行估测,进而估算出荒漠生态系统的植被固碳量;基于遥感数据、土壤调查数据,估算荒漠生态系统的土壤固碳量。固碳量与其对应价值量的评估公式如下:

$$Q_{csv}=A_0q_{csv,0}+A_1q_{csv,1}+A_2q_{csv,2}+A_3q_{csv,3}+A_4q_{csv,4}$$
$$Q_{css}=A_0q_{css,0}+A_1q_{css,1}+A_2q_{css,2}+A_3q_{css,3}+A_4q_{css,4}$$
$$V_{cs}=c_{cs}(Q_{csv}+Q_{css})$$

式中:Q_{csv} 为荒漠生态系统的植被固碳量(吨);$q_{csv,0}$、$q_{csv,1}$、$q_{csv,2}$、$q_{csv,3}$ 和 $q_{csv,4}$ 分别为流动沙地、半固定沙地、固定沙地、戈壁和其他沙地的单位面积植被固碳量(吨/公顷);Q_{css} 为荒漠生态系统的土壤固碳量(吨);$q_{css,0}$、$q_{css,1}$、$q_{css,2}$、$q_{css,3}$ 和 $q_{css,4}$ 分别为流动沙地、半固定沙地、固定沙地、戈壁和其他沙地的单位面积土壤固碳量(吨/公顷);V_{cs} 为固碳服务的价值(元);c_{cs} 为碳价(元/吨)。

2. 沙尘循环促进海洋生物固碳

荒漠生态系统沙尘生物地球化学循环功能评估主要是通过明确沙尘循环路径,进而评估沙尘释放量、传输量和沉降量等过程完成。沙尘在远距离输送进入海洋后,通过其提供的铁促进海洋生物初级生产力,固定大量的二氧化碳,从而起到减缓气候变暖的作用。利用以下公式估算沙尘促进海洋生物固碳的价值:

$$V_{scs}=c_{cs}Q_{scs}$$

式中:Q_{scs} 为沙尘促进海洋生物固碳量(吨);V_{scs} 为沙尘促进海洋生物固碳价值(元)。

(五)生物多样性保育

运用能值法,按照县域行政单位来评估荒漠生态系统生物多样性保育服务价值,荒漠生态系统涉及12个省份的412个县域行政单位。生物多样性保育的实物量指标为荒漠生态系统物种数量及其濒危程度。这些物种的价值量评估公式与具体步骤如下：

$$Ed' = \sum_{i=1}^{N} \left(\bar{E} \cdot \frac{S_i}{S} \cdot k_i \right) / Ed$$

式中：Ed'为研究区能值货币价值（元）；Ed为全国能值货币比率（太阳能焦耳/元）；$\bar{E}$为全球平均能值（太阳能焦耳）；S为全球陆地面积（平方公里）；S_i为县域i的陆地面积（平方公里）；k_i为县域i面积上的物种数；N为研究区域内的县域数。

具体评估步骤如下：①按照县域行政单位统计物种数k_i；②估算物种能值价值Ed；③根据濒危物种稀缺性（极危、濒危、易危、近危），调整物种能值价值。

县域单位的物种稀缺性价值计算公式如下：

$$Ed'_{Ri} = \sum_{j=1}^{k_i} \left(Ed_{ij} \cdot r_j \right)$$

式中：Ed'_{Ri}为校正后县域i内物种能值价值；Ed_{ij}为校正前县域i内j物种能值价值；r_j为物种j的濒危分数；k_i为县域i的物种数。

加总荒漠系统范围内所有县域的稀缺性价值Ed'_{Ri}，得到整个荒漠生态系统物种稀缺性价值Ed'_R，该价值是存量价值，需再除以物种平均形成时间T，方可估算出每年生物多样性保育服务价值，计算公式如下。

$$Ed'_R = \sum_{i=1}^{N} Ed'_{Ri} / T$$

（六）景观游憩

根据游憩资源的基本属性，把荒漠旅游资源划分为自然景观类、人文景观类和综合类。可以运用下式分别估算三类荒漠游憩资源的服务价值。

$$V_{lr} = \sum_{i=1}^{3} \left(S_{lri} \cdot E_{lri} \cdot N_{ti} / R_{dti} \right)$$

式中：V_{lr}为荒漠生态系统景观游憩服务的价值（元）；S_{lr1}、S_{lr2}、S_{lr3}分别为自然景观类、综合类、人文景观类荒漠旅游资源的面积（公顷）；E_{lr1}、E_{lr2}、E_{lr3}分别为人均每次游览在三类荒漠旅游景区内支付的直接旅游费用（元/人次）；N_{t1}、N_{t2}、N_{t3}为单位面积三类荒漠景区合理环境容量范围内适宜的旅游人数（人次/公顷）；R_{dt1}、R_{dt2}、R_{dt3}为三类荒漠景区游览费用占旅游总收入的比例（%）。

本研究构建的荒漠生态系统功能与服务评估体系和探讨的评估方法，

为定量评估荒漠生态系统功能与核算其服务价值奠定了一定基础。随着荒漠生态系统过程、物质循环、机理等基础研究的不断深入，以及生态系统功能与服务评估方法的不断发展，还需要进一步完善本研究提出的荒漠生态系统功能与服务评估体系，也需要借助更新、更为科学的评估方法来更准确地估算各类荒漠生态系统功能的实物量与核算其服务的价值量。

第三节　中国荒漠生态系统服务定量评估

本部分基于上节构建的荒漠生态系统服务评估指标体系和评估方法，主要采用卢琦等（2016）评估荒漠生态系统功能与服务的实物参数与价值参数，利用第五次全国荒漠化与沙化监测数据（2010—2014 年），核算 2014 年我国荒漠生态系统在提供防风固沙、土壤保育、水文调控、固碳、生物多样性保育、景观游憩等方面的生态服务价值（程磊磊等，2020）。并且，采用国内生产总值（GDP）减缩指数对生态服务价值进行调整，以剔除价格因素的影响，使 2009 年与 2014 年两次价值评估结果具有可比性。我国荒漠生态系统主要分布在 12 个省份，具体分别是新疆、内蒙古、甘肃、西藏、青海、宁夏、陕西、河北、山西、辽宁、吉林和黑龙江。本研究采用自下而上的核算方法，首先估算各地区荒漠生态系统服务的实物量与价值，然后汇总得到全国荒漠生态系统服务评估结果。全国及各地区的 GDP、人均 GDP 等社会经济数据来源于历年《中国统计年鉴》。

一、2014 年全国荒漠生态系统服务价值

2014 年全国荒漠生态系统产生的生态服务总价值为 4.228 万亿元，相当于 2014 年全国 GDP（64.13 万亿元）的 6.6%。从生态服务类型来看，防风固沙是荒漠生态系统提供的最为重要的生态服务，全年固沙量达到 $3.91×10^{10}$ 吨，防风固沙价值为 1.695 万亿元，占到总价值的 40.1%；其次是水文调控，占到总价值的 24.2%，在淡水提供、水源涵养和气候调节方面的价值共为 1.024 万亿元；土壤保育和固碳的价值相当，分别为 0.763 万亿元和 0.719 万亿元，占到总价值的 18.1% 和 17.0%，全年约形成新土 $1.51×10^{10}$ 立方米，保育 $1.45×10^8$ 吨土壤有机质、$1.37×10^7$ 吨土壤氮和 $1.56×10^7$ 吨土壤磷，全年植被固碳 $7.18×10^8$ 吨、土壤固碳 3.0×

10^7 吨；生物多样性和景观游憩价值相对很低，两者之和不到总价值的 1%（表 4-1、图 4-3）。

表 4-1 2014 年我国荒漠生态系统服务价值

亿元

省份	防风固沙	土壤保育	水文调控	固碳	生物多样性保育	景观游憩	合计
内蒙古	5503.80	2362.23	4630.56	1992.26	19.31	19.88	14528.03
新疆	4201.94	3114.84	2213.29	2888.79	102.90	35.81	12557.57
甘肃	3144.40	1056.55	640.04	488.79	8.41	5.83	5344.03
西藏	3265.57	358.97	771.41	814.75	22.27	10.36	5243.34
河北	145.21	645.98	185.22	152.48	0.59	1.02	1130.49
青海	100.82	23.85	153.35	559.99	22.75	5.99	866.75
陕西	213.64	21.77	374.45	74.19	1.24	0.65	685.94
宁夏	213.26	26.38	249.14	60.93	1.33	0.56	551.59
吉林	29.27	5.35	293.96	50.51	0.63	0.34	380.06
黑龙江	11.07	4.42	308.57	35.69	1.01	0.24	361.01
辽宁	34.39	4.19	246.08	39.38	0.41	0.26	324.71
山西	88.20	10.33	169.97	35.39	0.89	0.28	305.06
全国	16951.56	7634.84	10236.04	7193.15	181.76	81.22	42278.58

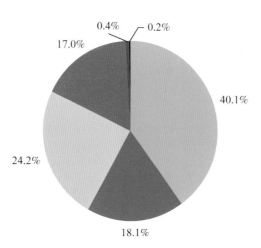

图 4-3 2014 年全国荒漠生态系统服务价值构成

从地区来看，我国荒漠生态系统大部分位于内蒙古和新疆境内，这两个省份提供了大部分的荒漠生态系统生态服务价值，2014 年这两个省份分别提供了 1.453 万亿元和 1.256 万亿元荒漠生态系统服务价值，占总荒漠生态系统服务总价值的 34.4% 和 29.7%；其次是甘肃和西藏，提供的生态服务价值分别为 0.534 万亿元和 0.524 万亿元，占到总价值的 12.6% 和 12.4%；其余 8 个省份提供的生态服务价值不到总价值的 11%（图 4-4）。在防风固沙服务方面，主要由内蒙古、新疆、西藏和甘肃提供，4 个省份分别占到防风固沙总价值的 32.5%、24.8%、19.3% 和 18.5%；在水资源调控服务方面，主要由内蒙古和新疆提供，两个省份分别占到水资源调控总价值的 45.2% 和 21.6%；在土壤保育服务方面，主要由新疆、内蒙古和甘肃提供，3 个省份分别占到土壤保育总价值的 40.8%、30.9% 和 13.8%；在固碳服务方面，主要由新疆、内蒙古和西藏提供，3 个省份分别占到固碳服务总价值的 40.2%、27.7% 和 11.3%；在生物多样性保育服务方面，其中一半以上由新疆提供，占到生物多样性保育价值的 56.6%，此外青海、西藏和内蒙古也分别占到生物多样性保育价值的 12.5%、12.3% 和 10.6%；在景观游憩服务方面，主要由新疆、内蒙古和西藏提供，3 个省份分别占到景观游憩价值的 44.1%、24.5% 和 12.8%。

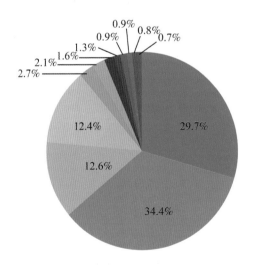

■新疆 ■内蒙古 ■甘肃 ■西藏 ■陕西 ■宁夏 ■河北 ■山西 ■吉林 ■辽宁 ■黑龙江 ■青海

图 4-4　2014 年全国荒漠生态系统服务价值地区分布

二、2009—2014 年间荒漠生态系统服务价值变化

荒漠生态系统服务价值的变化受到价格因素的影响很大。2009—2014 年，全国荒漠生态系统服务价值从 30840.43 亿元（2009 年价格）增加到

42278.58 亿元（2014 年价格），增加了 11438.16 亿元；但是，其中有
10450.34 亿元（表 4-2）是由于价格水平上涨了 32.8% 造成的。剔除价格上
涨的影响后，按照 2009 年价格水平来换算，如表 4-2 第 4 行所示，2014
年全国荒漠生态系统价值为 31828.24 亿元，5 年间实际上增加了 987.81
亿元或 3.2%，这部分增加是源于荒漠生态系统生态服务的实物量增加。
另一方面，2009—2014 年全国实际 GDP 大幅增加了 51%。由于荒漠生态
系统质量提升的速度显著慢于经济增长的速度，荒漠生态系统服务价值相
当于全国 GDP 的比重从 9.1% 下降到 6.6%。

表 4-2 2009—2014 年中国荒漠生态系统服务价值变化

亿元

项目	防风固沙	土壤保育	水文调控	固碳	生物多样性保育	景观游憩	合计
2009 年价值（2009 年价格）	12291.95	5570.77	7445.33	5338.49	134.81	59.08	30840.43
2014 年价值（2014 年价格）	16951.56	7634.84	10236.04	7193.15	181.76	81.22	42278.58
2014 年价值（2009 年价格）	12761.51	5747.68	7705.92	5415.16	136.83	61.15	31828.24
实际价值变化（2009 年价格）	469.56	176.91	260.59	76.67	2.02	2.07	987.81
价格上涨导致的价值变化	4190.06	1887.17	2530.13	1777.99	44.93	20.08	10450.34

荒漠生态系统提质增效主要体现在防风固沙、水文调控和土壤保育三
个方面。2009—2014 年全国荒漠生态系统服务的实际价值增加了 987.81
亿元（2009 年价格）或 1202.37 亿元（2014 年价格），其中 47.5% 来自于防
风固沙服务效益的提升。全国荒漠生态系统的年固沙量增加了 12.3 亿吨，
特别是内蒙古 5 年间年固沙量增加了近 9 亿吨；有 26.4% 来自于水文调控
服务效益的提升，有 17.9% 来自于土壤保育服务效益的提升，这是土壤养
分保育和新土壤形成两方面生态服务权衡的结果。具体来看，在保育土壤
养分方面增加了 190.91 亿元，但是在形成新土壤方面则减少了 14.00 亿
元。此外，5 年间荒漠生态系统的固碳服务效益略有提升，全国荒漠生态
系统的年固碳量增加了 6100 万吨，贡献了生态服务总价值提升的 7.8%。
分地区来看，荒漠生态系统服务价值的增加主要发生在甘肃、内蒙古、西
藏和新疆 4 个省份。

第四节 中国荒漠生态系统服务与经济增长

荒漠生态系统是荒漠生态资产的重要组成部分，是一个存量概念；防风固沙、水文调控等生态服务则是由荒漠生态系统这种资产存量所提供的服务流，是一个流量概念（Bao et al.，2019）。国内生产总值（GDP）也是一个流量概念，其衡量了一个国家或地区在一定时期内生产的全部最终产品或服务的市场价值。两者的不同之处在于，GDP 所衡量的产品或服务是由人造资本、社会资本、人力资本和自然资本共同创造的（Costanza et al.，2014），并且通过各种市场进行交易；而荒漠生态系统服务则是由荒漠生态系统这种生态资产所单独提供的，且通常难以通过市场进行交易。本节将首先简要分析我国荒漠生态系统涉及的 12 省份的经济增长状况，然后利用 GDP 数据与荒漠生态系统服务价值评估结果剖析 2009—2014 年间我国荒漠地区生态保护与经济增长的均衡程度。

一、荒漠生态系统涉及省份的经济增长状况

荒漠生态系统的地理范围涉及 12 个省份，分布于新疆全境，内蒙古、西藏、青海、甘肃、宁夏的绝大部分，其他 6 个省份只有小部分位于荒漠生态系统范围内。2009 年 12 省份的名义 GDP 为 8.42 万亿元，2014 年增加到 15.72 万亿元，占全国 GDP 的比重稳定在 24.7% 左右（表 4-3）。2009—2014 年间，这 12 省份的名义 GDP 增加了 7.30 万亿元，年均增长率达到 13%，剔除价格上涨因素后，年均实际增长率为 4.3%。

分地区来看，内蒙古的 2014 年名义 GDP 为 17770 亿元，接近于新疆当年名义 GDP（9273 亿元）的 2 倍，甘肃当年名义 GDP（6836 亿元）的 2.8 倍，青海、西藏的 GDP 较低。2009—2014 年间，内蒙古实际 GDP 的增长率为 3.8%，低于新疆（7.5%）、青海（7.1%）、西藏（6.7%）和甘肃（6.0%）等省份，因此，内蒙古占全国 GDP 的比重有所下降，而新疆、青海、西藏、甘肃占全国 GDP 的比重都有所增加。

表 4-3　2009 年和 2014 年荒漠生态系统涉及省份的 GDP

省份	2009 年		2014 年		5 年间年均增长率(%)
	名义 GDP (亿元)	占全国 GDP 比重(%)	名义 GDP (亿元)	占全国 GDP 比重(%)	
新疆	4277.05	1.26	9273.46	1.46	7.5
内蒙古	9740.25	2.86	17770.19	2.79	3.8
甘肃	3387.56	0.99	6836.82	1.07	6.0
西藏	441.36	0.13	920.83	0.14	6.7
青海	1081.27	0.32	2303.32	0.36	7.1
宁夏	1353.31	0.40	2752.10	0.43	6.1
陕西	8169.80	2.40	17689.94	2.78	7.5
河北	17235.48	5.06	29421.15	4.62	2.5
山西	7458.31	2.19	12761.49	2.01	2.5
吉林	7278.75	2.14	13803.14	2.17	4.6
辽宁	15212.49	4.47	28626.58	4.50	4.5
黑龙江	8587.00	2.52	15039.38	2.36	3.0
合计	84222.63	24.73	157198.40	24.71	4.3

二、荒漠生态系统保护与经济增长的均衡程度

本节将荒漠生态系统服务价值货币化，使其与 GDP 变得可比，前者反映了荒漠生态系统的质量与保护状况，后者则反映了对荒漠生态系统的市场化开发利用程度。本节使用荒漠生态系统服务价值与 GDP 的比值来衡量荒漠地区生态保护与经济增长的发展均衡程度，为表述方便以下称之为发展均衡指数。

(一)荒漠生态系统的保护与开发利用程度存在明显的地区性差异

2014 年，全国荒漠生态系统服务价值与这 12 个省份 GDP 总和的比值为 0.27(图 4-5b)。分地区来看，2014 年西藏和新疆的发展均衡指数大于 1，分别为 5.69 和 1.35，表明其荒漠生态系统具有进一步开发利用的潜力；内蒙古和甘肃的发展均衡指数接近于 1，分别为 0.82 和 0.78，表明其荒漠生态系统的保护与开发利用相对均衡；青海和宁夏的发展均衡指数较低，分别为 0.38 和 0.20，表明其荒漠生态系统需要进一步加强保护与修复。其他 6 个省份的发展均衡指数都很低，主要是因为在这些省份荒漠

生态系统面积只占到其行政区划面积的较小比重，荒漠并不是其主要的生态系统类型，需要结合森林、湿地等其他生态系统的服务价值评估来综合评判生态保护与经济增长的均衡程度。

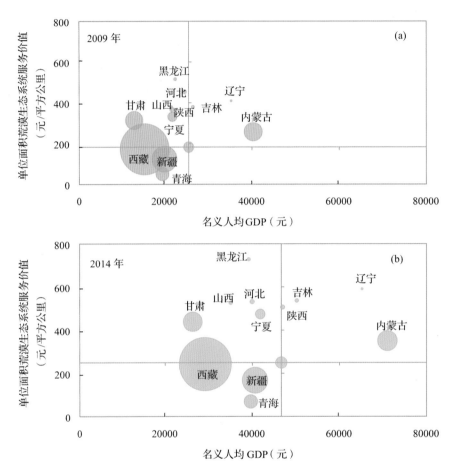

图 4-5　2009 年（a）和 2014 年（b）12 个省份荒漠生态保护与经济增长的均衡度

注：气泡大小表示荒漠生态系统服务价值与 GDP 的比值，即发展均衡指数；坐标原点的气泡是整个荒漠生态系统的平均水平，2009 年该比值为 0.366，2014 年下降为 0.269。

（二）荒漠生态系统提质增效与经济增长的不均衡程度在扩大

2009—2014 年，全国荒漠生态系统服务价值实际增加了 3.2%，年均增速仅为 0.6%，原因主要在于虽然我国荒漠化与沙化面积双缩减、程度双减轻（屠志方等，2016），但是面积减少与程度减轻的幅度均较小。同时，同期荒漠生态系统涉及的 12 省份的 GDP 实际增加了 53.3%，实际GDP 年均增速高达 8.9%，因此荒漠生态系统服务价值占 12 省份 GDP 的比重平均从 36.6% 下降到 26.9%，各省份降幅从 19.4% 到 38.8% 不等。这表明，虽然荒漠生态系统功能质量在提升、服务效益在增加，实现了生态保护与开发利用的双增长，但是荒漠生态系统的改善仍然落后于区域经济的快速增长。伴随着荒漠地区经济发展水平的提升、居民生态环境保护意识的提高和生态系统产品与服务变得更为稀缺，人们对荒漠生态系统服务的需求将日益增加，将愿意为荒漠生态系统服务支付更高的价格。与此同时，随着经济总量的扩大、经济增速的放缓，荒漠生态系统提升的速度势必将赶超经济增速，从而达到荒漠生态系统提质增效与经济增长的高度均衡发展，实现荒漠生态系统质量的整体改善和生态产品供给能力的全面增强。

第五章 喀斯特生态系统格局与服务评估

第一节 喀斯特生态系统概述

一、喀斯特石漠化的科学内涵

喀斯特(karst)是指在一定的地质、气候和水文等条件下，地下水和地表水对可溶性岩石(主要是碳酸盐岩)溶蚀、侵蚀和改造作用下形成的地貌，是由高溶解度的岩石和充分发育的次生孔隙度相结合产生的一类拥有特殊水文和地形的地质景观。世界喀斯特景观约占陆地总面积的15%，从热带到寒带的大陆和海岛均有喀斯特地貌发育，主要分布在我国、东南亚国家(如越南、泰国、印度尼西亚等)、地中海沿岸国家(如法国、意大利、斯洛文尼亚等)、美洲国家(如美国、墨西哥、加拿大等)等(王俊丽等，2020)。我国西南喀斯特地区面积达90多万平方公里，是全球喀斯特集中分布区面积最大、岩溶发育最强烈、景观类型复杂、生物多样性丰富、生态系统极为脆弱的典型地区，在全球喀斯特生态系统中占有重要地位(刘丛强，2009；郭柯等，2011)。

石漠化是地表石质化或岩质化，是一个较新的术语，随着沙漠化、盐渍化、荒漠化等概念的产生而出现，目前没有统一认可的定义，主要争议在其所发生的气候区域、地理条件以及成因等方面。石漠化有广义与狭义概念之分。广义的石漠化是指以复合侵蚀作用为主，包含多种地表物质组成的、以类似荒漠化景观为标志的土地退化过程。广义石漠化包括了除风蚀荒漠化、盐渍荒漠化外大部分水蚀荒漠化的类型。由于地质条件、气候因素以及社会环境的差异，这些类型的石漠化有着不同的成因和形成过程，本质上存在一定的差异。狭义的石漠化是指在南方(特别是云南、贵州、广西)湿润地区碳酸盐岩(石灰岩、白云岩等)形成的生态环境脆弱的岩溶区，由于人类不合理活动造成植被破坏、水土流失、岩石逐渐裸露、土地总体生产力衰退或丧失、土地利用率低、地表在视觉上呈现石漠景观的演变过程，是自然因素和人为因素共同作用的结果，目前该定义得到了大部分学者的认可。周金星等认为，石漠化是指在岩溶及其发育的自然背景下，受人为活动干扰，使地表植被遭受破坏，导致土壤严重流失，基岩大面积裸露或砾石堆积的一种土地退化现象，它是母质为碳酸盐岩地区土地退化的一种极端形式(中国科学技术协会，2020)。

二、喀斯特生态系统的特点

(一)土壤脆弱性

土壤是影响喀斯特生态系统的主导因子之一。喀斯特地表基质主要由可溶性矿物和少量酸性不溶物组成的石灰岩等碳酸盐岩类。酸性不溶物低于碳酸盐岩总物质的10%，远低于可溶性矿物的数量。酸性不溶物经风化和溶蚀后堆积形成残积土，由于成土物质来源少，成土非常缓慢，在这种环境下形成1厘米厚的土层至少需40000年以上，非喀斯特区较之快10~80倍。喀斯特土壤多分布于洼地，也只有几米厚，且薄厚分配不一。此外，由于喀斯特土壤中酸性不溶解物含量低，一般呈弱碱性，易引起植物所需的铁、硼、铜、锌等微量元素的短缺，有碍于能改善植物营养结构的细菌生长(Wei et al.，2015)。喀斯特土壤有机质主要集中在土体表层，一旦表土流失，土壤肥力迅速下降，变得更加贫瘠。这是喀斯特山区生态环境先天不足及脆弱性强的背景和基本原因。

(二)水文脆弱性

喀斯特区二元结构的普遍性以及水土空间分离的系统格局，决定了水环境具有脆弱的特征。受这种水文格局影响，喀斯特地表易生境干旱缺水，同时由于各地段地下裂隙和管道的通畅性差异很大，一遇大雨低洼处容易堵塞造成局部涝灾。在喀斯特峰丛山区，封闭洼地，溶蚀盆地星罗棋布，没有完整的地表排水网，雨水在洼地、溶蚀盆地中汇集后再由落水洞进入喀斯特含水系统中，使季风地区水量在时间分布上的不均匀性在喀斯特系统中变得更加突出。

（三）植被脆弱性

森林植被对喀斯特区的生态系统稳定起关键作用（Liu et al.，2019）。植被类型与盖度是喀斯特生态中最重要最敏感的要素，它直接决定着自然生态系统功能的强弱。喀斯特区特殊的水文地质特征，使该区植被具有石生、旱生、喜钙等特点，这决定了喀斯特植被系统自身的脆弱性。当人为因素介入强度加大后，植被覆盖类型发生了改变，生物多样性减少，生态系统的稳定性降低，原始森林减少，造成现有森林多为人工林和次生林。人工林和次生性植被对于原生性植被而言，结构简单、生物多样性贫乏，植物的初级生产力也较低，固土保水的功能也较差，生态系统非常脆弱。从原始植被类型到现有植被类型的转变体现了喀斯特区生态系统的脆弱性。

（四）人文环境脆弱性

西南喀斯特山区是我国少数民族主要聚居地之一。受恶劣的自然条件和历史、社会、经济等因素的影响，喀斯特山区长期处于封闭的环境之中，外界的文化、技术、信息难以进入，导致社会封闭保守，发展缓慢，形成典型的山地文化特性。不合理的人类活动加剧了喀斯特区的生态脆弱性，使潜在的生态脆弱性转变为现实脆弱性。

上述脆弱性因子的综合作用，从根本上决定了我国南方喀斯特生态系统脆弱性本质，加上人为干预和自然扰动的影响，使我国喀斯特生态系统面临一系列的严峻问题。岩溶地区的石漠化加速了生态环境的恶化，吞噬了人类的生存空间，导致自然灾害频发，加剧了岩溶地区的贫困，严重影响了区域经济的发展，并危及我国长江、珠江流域等人口密集区域的生态安全。

三、我国岩溶石漠化分级标准

我国依据基岩裸露程度、植被综合盖度、植被类型和土层厚度 4 个指标将石漠化的轻重程度划分为 6 个级别，即无石漠化、潜在石漠化、轻度石漠化、中度石漠化、强度石漠化和极强度石漠化。首先将岩溶地区土地类型分为未发生石漠化土地和石漠化土地两大类，按照《中国石漠化状况公报》的规定，将未发生石漠化土地分为非石漠化土地和潜在石漠化土地两类；石漠化土地分为不同等级的石漠化土地，分别为轻度、中度、重度和极重度。

评定石漠化程度的方法：先将以上 4 项因子分为不同的等级并量化，再对被调查地（小班）的以上 4 项因子逐一确定等级—记录量化值，并求出该调查小班的 4 项量化值的和，最后与规程划定的石漠化程度区分段进行比较，确定该小班的石漠化等级。评定因子及指标评分以及最终的石漠化程度分级见表 5-1 和表 5-2。

表 5-1　石漠化评定因子与评分标准

评定因子		评分标准				
基岩裸露度	程度（%）	30~39	40~49	50~59	60~69	≥70
	评分（分）	20	26	32	38	44
植被类型	类型	乔木型	灌木型	草丛型	旱地作物型	无植被型
	评分（分）	5	8	12	16	20
植被综合盖度	程度（%）	50~69	30~49	20~29	10~19	<10
	评分（分）	5	8	14	20	26
土层厚度	程度（厘米）	Ⅰ级（<10）	Ⅱ级（10~19）	Ⅲ级（20~39）	Ⅳ级（>40）	
	评分（分）	1	3	6	10	
综合评分	程度	轻度	中度	重度	极重度	
	评分（分）	≤45	46~60	61~75	>75	

表 5-2　喀斯特地区石漠化强度分级标准

强度等级	基岩裸露（%）	植被+土被（%）	坡度（°）	土层厚度（厘米）	农业利用价值
非石漠化	<40	>70	<15	>20	宜水保措施的农业
潜在石漠化	>40	50~70	>15	>20	宜林牧
轻度石漠化	>60	35~50	>18	>15	临界宜林
中度石漠化	>70	20~35	>22	<10	难利用地
重度石漠化	>80	10~20	>25	<5	难利用地
极重度石漠化	>90	<10	>30	<3	无利用价值

四、石漠化的危害

石漠化对人们赖以生存的环境可能产生危害，主要体现在以下几个方面：

中国陆地生态系统质量定位观测研究报告 2020

荒 漠

（一）水土流失、耕地丧失严重

石漠化与水土流失互为因果关系，即水土流失会产生石漠化，而石漠化的出现又会加剧水土流失。岩溶石漠化形成过程中，水土流失严重，地表土层逐渐变薄、养分含量降低、岩石裸露度加大、土地生产力下降到丧失耕作的价值、生态功能退化，形成"生态恶化—口粮不足—毁林开荒—生态恶化"的恶性循环。贵州省石漠化地区每年大约流失表土1.95亿吨，致使大面积耕地因土壤流失而废弃，在1974—1979年间贵州石漠化土地面积增加了6.24万公顷，每年因此丧失耕地面积1.25万公顷，约占全省耕地面积1.6%。

（二）加剧岩溶区旱涝灾害

石漠生态系统的承灾阈值弹性较小，缺乏森林植被来调节缓冲地表径流，致使这类地区一旦遇到大雨，地表径流便快速汇聚于岩溶洼地、谷地等低洼处，造成暂时局域性涝灾。如云南省西畴县岩溶洼地，因水土流失导致落水洞堵塞，地表水排水不畅，常年就有375个易涝洼地，雨季常被淹没，淹没期达3~15天，长则1~5个月不等。石漠化地区的岩溶漏斗、裂隙及地下河网发育，是峰丛洼地、谷地的主要泄水通道，当降水量较小时地表径流较快地渗入地下河系而流走，就会导致地表干旱。长江和珠江近年来频繁发生的旱涝灾害与西南岩溶石漠化区严重的水土流失有密切关系。

（三）激化人水矛盾

石漠化地区的一个显著生态特征就是缺水少土。岩溶地貌本身是一个脆弱的生态系统，由于人类长期不合理的经济活动，导致植被稀少，失去了森林水文效应，发挥不了森林调蓄地表水和地下水的能力，生态环境失衡，水土流失逐年加剧，水资源紧缺。加之岩溶地区地表、地下景观的双重地质结构，渗漏严重，其入渗系数较高，一般为0.3~0.5毫米/分钟，裸露峰丛洼地区可高达0.5~0.6毫米/分钟，这导致地表水资源涵养水源能力更低，保持水土能力更弱，使河溪径流减少，出现非地带性干旱和人畜饮水困难，造成"地下水滚滚流，地表水贵如油"的现象。

（四）区域社会发展受限、人民生活水平受影响

在西南岩溶石漠化区，贫困县与岩溶县、石漠化严重县具有很大的一

92

致性。石漠化区域是我国少数民族主要聚居区，也是经济欠发达区域和边疆区域，其中国家级贫困县的石漠化土地面积占岩溶地区石漠化土地总面积的 59.3%，石漠化加剧了这些地区的贫困。近 10 年来，石漠化地区的经济发展水平与全国经济发展水平之间的差距在拉大，人均纯收入、人均国民生产总值只有全国平均水平的 60% 和 40%。各种自然灾害呈现周期缩短、频率加快，因此也就造成了人民群众经济损失加重、生活水平和质量下降、生命和财产安全不断受到威胁等的趋势。

第二节 喀斯特生态系统空间格局

一、喀斯特生态系统分布格局

喀斯特地貌在地球表面广泛分布（图 5-1），全球碳酸盐岩覆盖面积 2200 万平方公里，占陆地面积的 15%，其中裸露型 510 万平方公里（曹建华等，2017）。喀斯特生态系统是陆地表层生态系统的重要组成部分，喀斯特区居住着约 10 亿人口。全球三大喀斯特集中连续分布区位于地中海沿岸、美国东部和中国西南部（刘春等，2014）。

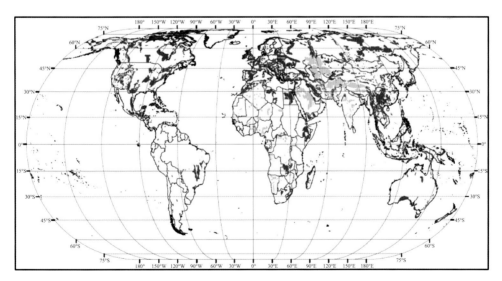

图 5-1 全球喀斯特生态系统分布格局

我国岩溶地貌分布广泛，碳酸盐岩在中国裸露、半裸露的面积约近 130 万平方公里，除了南方喀斯特区外，华北、东北、蒙新及青藏高原等区域也发育有岩溶地貌。我国西南地区碳酸盐岩出露面积超过 50 万平方公里，是全球喀斯特集中分布区中面积最大、岩溶发育最强烈、生态环境最脆弱的典型分布地区（Jiang et al.，2014）。

二、我国喀斯特生态系统石漠化分布格局

石漠化是我国喀斯特区土地退化的主要形式。我国喀斯特石漠化主要发生在以云贵高原为中心，北起秦岭山脉南麓，南至广西盆地，西至横断山脉，东抵罗霄山脉西侧的喀斯特地区（熊康宁，2014）。

根据 2018 年 11 月国家林业和草原局公布的《中国岩溶地区石漠化状况公报》，截至 2016 年年底，岩溶地区石漠化土地总面积为 1007 万公顷，占岩溶面积的 22.3%，占区域国土面积的 9.4%，涉及湖北、湖南、广东、广西、重庆、四川、贵州和云南 8 个省份 457 个县。经过多年的持续治理和保护，石漠化防治工作取得了阶段性成果。但是，因为岩溶生态系统脆弱，石漠化治理具有长期性、艰巨性和复杂性，防治形势依然非常严峻。

（一）按省份分布状况

从西南八省份分布来看，贵州省石漠化土地面积最大，为 247 万公顷，占石漠化土地总面积的 24.5%；其他依次为云南、广西、湖南、湖北、重庆、四川和广东，面积分别为 235.2 万公顷、153.3 万公顷、125.1 万公顷、96.2 万公顷、77.3 万公顷、67 万公顷和 5.9 万公顷，分别占石漠化土地总面积的 23.4%、15.2%、12.4%、9.5%、7.7%、6.7% 和 0.6%（图 5-2）。

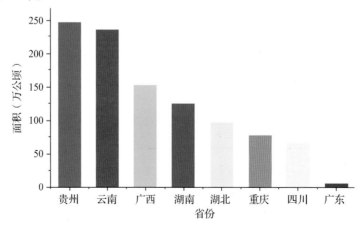

图 5-2　我国西南八省份石漠化土地面积

(二)按流域分布状况

分流域来看，长江流域石漠化土地面积最大，为 599.3 万公顷，占石漠化土地总面积的 59.5%。长江二级流域中，主要分布在洞庭湖、乌江和金沙江石鼓以下流域，达 442.1 万公顷，占长江流域石漠化土地面积的 73.8%，其中以洞庭湖流域石漠化土地面积最大为 164.8 万公顷，占该流域石漠化土地面积的 27.5%。珠江流域石漠化土地面积为 343.8 万公顷，占 34.1%。珠江二级流域中，主要分布在南盘江、北盘江和红柳江流域，达 278.6 万公顷，占珠江流域石漠化土地面积的 81.0%，其中以南北盘江流域石漠化土地面积最大，为 146.4 万公顷，占该流域石漠化土地面积的 42.6%。红河流域石漠化土地面积为 45.9 万公顷，占 4.6%。红河流域中，以盘龙江流域石漠化土地面积最大为 42.3 万公顷，占该流域石漠化土地面积的 92.2%。怒江流域石漠化土地面积为 12.3 万公顷，占 1.2%。怒江流域中，以怒江勐古以下流域石漠化土地面积最大为 9.7 万公顷，占该流域石漠化土地面积的 78.8%。澜沧江流域石漠化土地面积为 5.7 万公顷，占 0.6%。澜沧江流域中，以沘江口以下流域石漠化土地面积最大，为 5.2 万公顷，占该流域石漠化土地面积的 90.8%(图 5-3)。

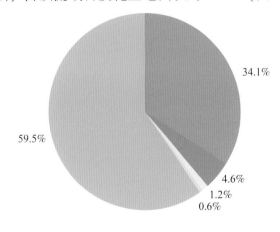

图 5-3　我国各流域石漠化土地面积比例

(三)按地貌类型分布状况

综合第三次石漠化监测结果分析，岩溶地区石漠化主要发生在坡度较大的坡面上，发生在 15° 以上的坡面上比例占石漠化土地总面积的 84.9%。从地类类型看，石漠化分布主要发生在林地和坡耕地。林地石漠化土地面积 681.0 万公顷，坡耕地石漠化面积 261.6 万公顷，草地石漠化面积 11.6 万公顷，其他利用地石漠化面积 52.8 万公顷。

按照地貌类型，石漠化面积最大的是岩溶山地，石漠化土地面积 562.2 万公顷，其次是峰丛洼地、岩溶槽谷和岩溶丘陵地貌，石漠化土地面积分别为 138.4 万公顷、133.2 万公顷、125.8 万公顷，岩溶峡谷、孤峰残丘及平原、峰林洼地和岩溶断陷盆地地貌，石漠化土地面积分别为 21.5 万公顷、12.9 万公顷、11.3 万公顷和 1.6 万公顷（图 5-4）。

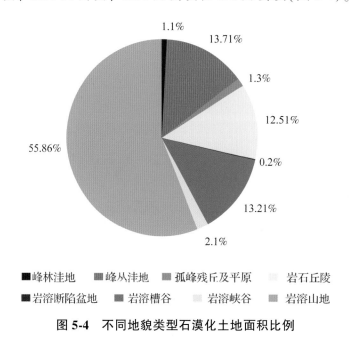

图 5-4　不同地貌类型石漠化土地面积比例

（四）按石漠化程度分布状况

按石漠化程度来看，西南八省份石漠化程度以轻度和中度为主。轻度石漠化土地面积为 391.3 万公顷，占石漠化土地总面积的 38.8%；中度石漠化土地面积为 432.6 万公顷，占 43%；重度石漠化土地面积为 166.2 万公顷，占 16.5%；极重度石漠化土地面积为 16.9 万公顷，占 1.7%（图 5-5）。

从各省份石漠化程度分布来看，石漠化严重地区主要分布在云南、贵州和广西。极重度石漠化面积分布最大的是云南省，面积为 5.8 万公顷，占全国重度石漠化总土地面积的 34.0%，其次为广西和贵州，面积分别为 4.5 万公顷和 2.5 万公顷，分别占全国重度石漠化总土地面积的 26.9% 和 15.0%。重度石漠化面积分布最大的是广西，面积为 80.4 万公顷，占全国重度石漠化总土地面积的 48.4%，其次为贵州和云南，面积分别为

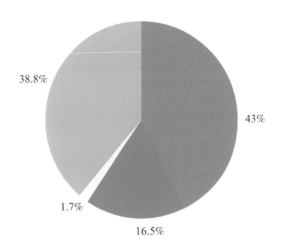

图 5-5　不同石漠化程度土地面积比例

25.6 万公顷和 19.1 万公顷，分别占全国重度石漠化总土地面积的 15.4% 和 11.5%。中度石漠化面积分布最大的是贵州省，面积为 125.4 万公顷，占全国中度石漠化总土地面积的 29.0%，其次是云南省，面积为 97.3 万公顷，占全国中度石漠化总土地面积的 22.5%（图 5-6）。

从流域石漠化程度分布来看，石漠化严重地区主要分布在珠江流域的南北盘江、红柳江和郁江，以及长江流域的乌江、金沙江石鼓以下和洞庭湖水系。极重度石漠化面积超过 1 万公顷的流域依次为金沙江石鼓以下、红柳江、南北盘江和洞庭湖水系，面积依次为 5.2 万公顷、4.3 万公顷、2.7 万公顷和 1.6 万公顷，分别占极重度石漠化总面积的 30.8%、25.1%、16.2% 和 9.4%。重度石漠化面积超过 10 万公顷的流域依次为红柳江、郁江、洞庭湖水系、南北盘江、金沙江石鼓以下和乌江，面积依次为 44.9 万公顷、27.2 万公顷、20.1 万公顷、19.6 万公顷、13.0 万公顷和 11.5 万公顷，分别占重度石漠化总面积的 27.0%、16.4%、12.1%、11.8%、7.8% 和 6.9%。中度石漠化面积超过或接近 50 万公顷的流域依次为乌江、洞庭湖水系、南北盘江、金沙江石鼓以下和红柳江，面积依次为 76.7 万公顷、69.7 万公顷、67.3 万公顷、53.2 万公顷和 49.3 万公顷，分别占中度石漠化总面积的 17.7%、16.1%、15.6%、12.3% 和 11.4%。

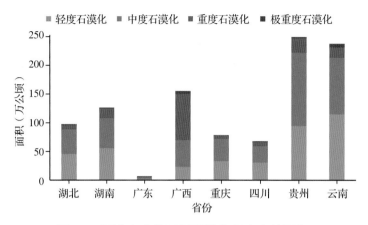

图 5-6　西南各省份不同石漠化程度土地面积

(五)潜在石漠化土地分布格局

岩溶地区潜在石漠化土总面积为 1466.9 万公顷，占岩溶面积的 32.4%，占区域国土面积的 13.6%。贵州省潜在石漠化土地面积最大，为 363.8 万公顷，占潜在石漠化土地总面积的 24.8%；其他依次为广西、湖北、云南、重庆、四川和广东，面积分别 267.0 万公顷、249.2 万公顷、204.2 万公顷、163.4 万公顷、94.9 万公顷、82.1 万公顷和 42.3 万公顷，分别占 18.2%、17.0%、13.9%、11.1%、6.5%、5.6%和 2.9%(图 5-7)。

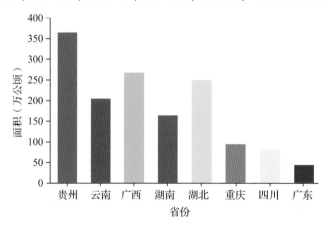

图 5-7　西南各省份潜在石漠化土地面积

从流域来看，长江流域潜在石漠化土地面积最大，为 931.1 万公顷，占潜在石漠化土地总面积的 63.5%；珠江流域潜在石漠化土地面积为 474.7 万公顷，占 32.4%；红河流域潜在石漠化土地面积为 32.4 万公顷，占 2.2%；怒江流域潜在石漠化土地面积为 13.8 万公顷，占 0.9%；澜沧江流域潜在石漠化土地面积为 14.9 万公顷，占 1.0%（图 5-8）。

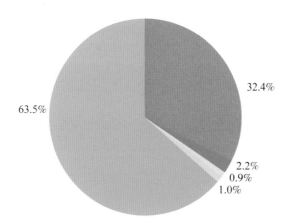

图 **5-8**　各流域潜在石漠化土地面积比例

三、喀斯特石漠化动态变化格局

（一）喀斯特石漠化面积动态变化

综合 3 次石漠化监测结果显示，石漠化土地年均缩减率加快。2005—2011 年间，石漠化土地面积减少了 96 万公顷，减少率为 7.4%，年均缩减率为 1.27%；2011—2016 年间，石漠化土地面积减少了 193.2 万公顷，减少率为 16.1%，年均缩减率为 3.45%。石漠化治理工程的实施，有效减少了石漠化土地面积（图 5-9）。

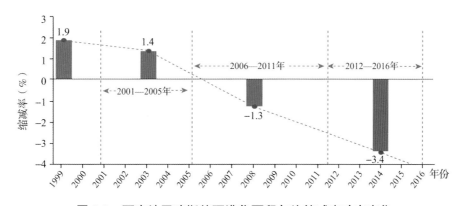

图 **5-9**　西南地区喀斯特石漠化面积年均缩减率动态变化

（二）各石漠化程度分布动态变化

综合 3 次石漠化监测结果分析，全国石漠化程度呈现逐步减轻的趋势。轻度石漠化的占比逐渐增加，由 2005 年的 27.5%，上升到 2011 年的 36% 和 2016 年的 38.8%；极重度与重度石漠化土地面积逐步下降，占比由 2005 年的 26.8%，降到 2011 年的 20.9% 和 2016 年的 18.2%。

2016 年与 2011 年相比，各石漠化程度的土地面积均出现减少，极重度与重度石漠化土地面积下降速率快。轻度石漠化减少 40.3 万公顷，减少了 9.3%；中度减少 86.2 万公顷，减少了 16.6%；重度减少 51.6 万公顷，减少了 23.7%；极重度减少 15.1 万公顷，减少了 47.1%（图 5-10）。

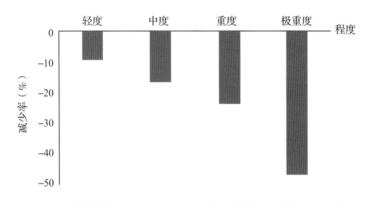

图 5-10　西南地区 2011—2016 年各石漠化程度面积减少率

对岩溶地区石漠化演变规律研究显示，表明岩溶地区整体生态状况趋于稳步好转的态势，但仍有局部地区出现退化现象。石漠化演变类型以稳定型为主，稳定型面积占 88.5%，改善型面积占 8.9%，退化型面积占 2.6%。从石漠化转移矩阵看，2011—2016 年石漠化程度主要为减轻趋势，轻度石漠化转移为潜在石漠化和非石漠化面积为 94.9 万公顷和 19.3 万公顷，中度石漠化转移为轻度、潜在和非石漠化面积为 63.7 万公顷、74.6 万公顷和 25.4 万公顷，重度石漠化转变为中度、轻度和潜在石漠化面积分别为 25.9 万公顷、5.9 万公顷和 32.7 万公顷，极重度石漠化转移为重度、中度面积为 9.6 万公顷和 3.2 万公顷。然而，部分地区石漠化仍有恶化趋势，石漠化程度增加。2011—2016 年，由非石漠化转变为潜在石漠化面积 19.9 万公顷，由潜在石漠化转变为轻度、中度石漠化面积分别有 19.8 万公顷和 28.2 万公顷，由轻度石漠化转为中度石漠化面积 22.5 万公顷，由中度石漠化转为重度石漠化面积 6.1 万公顷。

（三）西南各省份石漠化格局动态变化

与 2011 年相比，2016 年八省份石漠化土地面积均为净减少。贵州减少 55.4 万公顷、云南减少 48.8 万公顷、广西减少 39.3 万公顷、湖南减少 17.9 万公顷、湖北减少 12.9 万公顷、重庆减少 12.3 万公顷、四川减少 6.2 万公顷、广东减少 0.4 万公顷；面积减少率分别为 18.3%、17.2%、20.4%、12.5%、11.9%、13.7%、8.5%、6.8%（图 5-11）。

与 2011 年相比，2016 年各省石漠化程度均有所减轻，重度及以上石漠化面积显著减少。在广西、贵州、云南、湖南、四川、重庆、湖北依次减少 23.5 万公顷、19.6 万公顷、9.3 万公顷、7.9 万公顷、6.2 万公顷、2.9 万公顷、1.7 万公顷、0.2 万公顷。重度及以上石漠化面积减少率分别为 21.7%、41.1%、27.3%、29.8%、40.9%、31.2%、15.8%、6.6%。

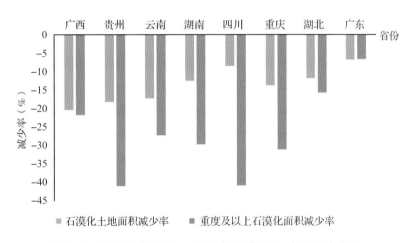

图 5-11　西南八省 2011—2016 年石漠化土地面积减少率

(四) 各流域石漠化格局动态变化

与 2011 年相比，2016 年各流域石漠化土地面积均为净减少。珠江减少 96.4 万公顷，长江减少 82.3 万公顷，红河减少 11.1 万公顷，怒江及伊洛瓦底江减少 2.4 万公顷，澜沧江减少 1.0 万公顷（但新球等，2019）；面积减少率依次为 19.3%、13.9%、19.5%、16.5%、15.1%。

与 2011 年相比，2016 年各流域石漠化程度有所减轻。重度及以上石漠化面积，珠江减少 35.7 万公顷，长江减少 27.8 万公顷，红河减少 2.9 万公顷，怒江及伊洛瓦底江减少 0.3 万公顷；面积减少率分别为 24.2%、30.0%、37.4%、47.2%。而澜沧江中度、重度石漠化减少 0.7 万公顷、0.1 万公顷，极重度石漠化面积增加 0.14 万公顷（图 5-12）。

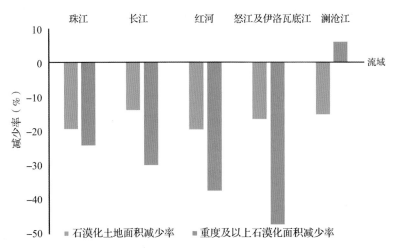

图 5-12　各流域 2011—2016 年石漠化土地面积减少率

(五) 重点区域石漠化格局动态变化

选择石漠化土地分布广、对生态环境和社会经济发展影响大、社会关注度高的毕节地区、三峡库区、珠江中上游百色河池地区、湘西武陵山区、曲靖珠江源区以及本监测期内石漠化面积变动显著的滇桂黔石漠化集中分布特殊困难地区作为重点研究区域，其动态变化情况为：

毕节地区。2016 年石漠化土地面积为 49.7 万公顷，比 2011 年净减少 10.2 万公顷，减少 17.0%，年均缩减率 3.7%；与上一个监测期年均缩减率 1.4% 相比，高 2.3 个百分点。

三峡库区。2016 年石漠化土地面积为 56.3 万公顷，比 2011 年净减少 10.4 万公顷，减少 15.6%，年均缩减率为 3.3%；与上一个监测期年均缩减率 0.7% 相比，高 2.6 个百分点。

珠江上游百色河池地区。2016 年石漠化土地面积为 93.0 万公顷，比 2011 年净减少 22.6 万公顷，减少 19.6%，年均缩减率为 4.3%；与上一个监测期年均缩减率 3.5% 相比，高 0.8 个百分点。

湘西武陵山区。2016 年石漠化土地面积为 20.8 万公顷，比 2011 年净减少 3.9 万公顷，减少 15.8%，年均缩减率为 3.4%；与上一个监测期年均缩减率 2.4% 相比，高 1.0 个百分点。

曲靖珠江源区。2016 年石漠化土地面积为 6.9 万公顷，比 2011 年净减少 1.9 万公顷，减少 21.4%，年均缩减率为 4.7%，由上一个监测期因干旱导致的扩展转为本期的石漠化面积缩减。

滇桂黔石漠化特殊困难地区。2016 年石漠化土地面积为 264.8 万公顷，比 2011 年净减少 63.2 万公顷，减少 19.3%，年均缩减率为 4.2%；与上一个监测期年均缩减率 1.7% 相比，高 2.5 个百分点。

(六)石漠化区林草植被格局动态变化

岩溶地区植被盖度逐步增加，乔木型植被面积增加。2016 年，植被综合盖度为 61.4%，较 2011 年增长 3.9 个百分点，较 2005 年增长 7.9 个百分点。同时，灌木型向乔木型演变，乔木型植被较 2011 年增加 145 万公顷，乔木型植被占岩溶地区面积比例增加了 3.5%。2005—2016 年，喀斯特石漠化区植被指数增加趋势明显，大部分区域植被指数增加在 0～0.2 之间(图 5-13)。

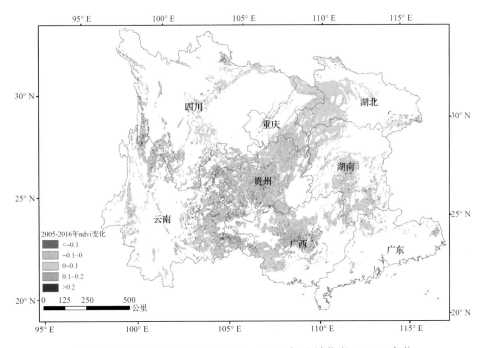

图 5-13　喀斯特石漠化区 2005—2016 年植被指数 NDVI 变化

研究表明，我国实施石漠化治理工程有效增加了西南 8 个省份森林覆盖和森林碳汇。经过多项工程实施，西南 8 个省份森林覆盖(高度≥5 米)由 1999 年的 27% 增加到 2016 年的 38%，2002—2017 年西南地区植被地上生物量固碳速率为 0.11±0.05 皮克*/年，其中新建林的贡献达 32%，抵

---

* 1 皮克 = 10^{15} 克 = 10^9 吨，即 10 亿吨。

消了该区域过去 6 年人类化石燃料燃烧 CO_2 排放的 33%；2002—2017 年自然恢复(面积 5.4%)和人工造林(面积 7.4%)的固碳速率分别达 0.01 皮克/年和 0.021 皮克/年，对整个区域碳吸收的贡献率分别为 14% 和 18% (Tong et al.，2020)。

(七)石漠化区域经济格局变化

石漠化是我国南方喀斯特区最严重的生态问题之一，也是当地贫困的根源。2019 年，全国 585 个国家级贫困县中，有 217 个位于石漠化地区，占比为 37%。其中，滇黔桂石漠化区有 80 个贫困县，贵州 40 个，广西 29 个，云南 11 个(Zhao et al.，2020)。经过多年的石漠化治理，2020 年各省份现已全部脱贫。第三次石漠化监测结果显示，监测区的平均石漠化发生率为 28.7%，而县财政收入低于 2000 万元的 18 个县，石漠化发生率为 40.7%，高出监测区平均值 12%；在农民年均纯收入低于 800 元的 5 个县中，石漠化发生率高达 52.8%，比监测区平均值高出 24.1%。经过近年来的石漠化治理，与 2011 年相比，2015 年岩溶地区生产总值增长 65.3%，高于全国同期的 43.5%。农村居民人均纯收入增长 79.9%，高于全国同期的 54.4%。5 年间，区域贫困人口减少 3803 万人，贫困发生率由 21.1% 下降到 7.7%，下降 13.4 个百分点(表 5-3)。

表 5-3　喀斯特石漠化区贫困县分布

省份(个)	县名	省份(个)	县名
云南省(38)	禄劝、寻甸、师宗、罗平、富源、会泽、宣威市、隆阳区、施甸、昭阳区、鲁甸、巧家、盐津、大关、永善、镇雄、彝良、威信、玉龙、宁蒗、永德、镇康、耿马、沧源、屏边、泸西、文山市、砚山、西畴、麻栗坡、马关、丘北、广南、富宁、鹤庆、香格里拉、德钦、维西	贵州省(56)	六枝特区、水城、盘州市、桐梓、正安、道真、务川、凤冈、湄潭、习水、西秀区、平坝区、普定、镇宁、关岭、紫云、碧江区、江口、玉屏、石阡、思南、印江、德江、沿河、松桃、万山区、兴仁、普安、晴隆、贞丰、望谟、册亨、安龙、七星关区、大方、黔西、织金、纳雍、威宁、赫章、黄平、施秉、镇远、岑巩、麻江、丹寨、荔波、贵定、瓮安、独山、平塘、罗甸、长顺、龙里、惠水、三都

(续)

省份(个)	县名	省份(个)	县名
广西壮族自治区(33)	隆安、马山、上林、融安、融水、龙胜、田阳、田东、德保、靖西市、那坡、凌云、乐业、田林、西林、隆林、昭平、富川、凤山、东兰、罗城、环江、巴马、都安、大化、忻城、金秀、宁明、龙州、大新、天等	湖南省(38)	茶陵、新邵、邵阳、隆回、洞口、绥宁、新宁、城步、武冈市、石门、慈利、桑植、安化、宜章、汝城、桂东、安仁、新田、江华、中方、沅陵、辰溪、溆浦、会同、麻阳、新晃、芷江、靖州、通道、新化、涟源市、泸溪、凤凰、花垣、保靖、古丈、永顺、龙山
湖北省(22)	阳新、郧阳区、郧西、竹山、竹溪、房、丹江口市、秭归、长阳、五峰、保康、孝昌、大悟、恩施市、利川市、建始、巴东、宣恩、咸丰、来凤、鹤峰、神农架林区	四川省(18)	叙永、古蔺、沐川、马边、屏山、康定、木里、盐源、普格、布拖、金阳、昭觉、喜德、越西、甘洛、美姑、雷波
重庆市(13)	万州区、黔江区、开州区、城口、丰都、武隆区、云阳、奉节、巫山、巫溪、石柱、秀山、酉阳、彭水	广东省(0)	无

第三节　喀斯特生态系统服务评估

生态系统服务的分类当前使用最为广泛的是由 MEA(2005)提出的,将生态系统服务分为供给服务、调节服务、支持服务和文化服务这四大类(图5-14)。人们强调生态系统服务的核心是其生命支持系统服务,广义上,即把生态系统的调节功能与支持功能结合起来作为生命支持系统服务。喀斯特生态系统的调节服务和支持服务也普遍受到了不同利益相关方的重视,且这两种服务对于区域内人类福祉的提升具有重要的作用。针对喀斯特生态系统的脆弱性与特殊性,本节主要对西南8个省份喀斯特区涵养水源、土壤保持、固氮释氧、生物多样性保育等服务进行价值评估。

一、涵养水源服务

水源涵养是区域生态系统服务的重要构成,也是区域生态环境直接影响人类生产生活的重要生态功能(周佳雯等,2018)。水源涵养的生态功能主要体现在消减降水侵蚀力,减轻土壤溅蚀,缓和径流形成,拉长行洪时间,降低洪水危害,增加土壤含水量,补充地下水,滞洪补枯、降低径流

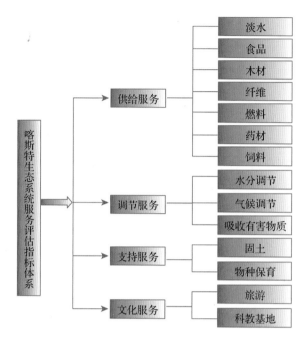

图 5-14 喀斯特生态系统服务类型划分

波动，保证水质等方面。陆地生态系统中影响水源涵养的因素很多，主要有地表覆盖、降水强度、地形地貌、农业耕作方式、土壤植被类型等。水源涵养量作为生态系统水源涵养功能的评估指标，与降水量、蒸散发、地表径流和土地覆被类型等密切相关。

以整个西南 8 个省份喀斯特地区为研究区域，生态系统为基本单元，基于水量平衡原理计算水源涵养量。水量平衡法将生态系统视为 1 个"黑箱"，着眼于水量的输入和输出，输入量为大气降水，输出量为蒸发、蒸腾及各种径流，水量的输入与输出之差即为水源涵养量（肖寒等，2000）。生态系统涵养水源服务价值研究始于 Costanza 等（1997）的报道。涵养水源效益相当于节省了工程投入的成本。因此，可用替代工程的影子价格来计算研究区域的水源涵养价值。根据我国水库工程造价，单位库容造价为0.67 元/立方米。

$$TQ = \sum_{i=1}^{j} (P_i - R_i - ET_i) \times A_i \times 10^3$$
$$V_水 = TQ \times 0.67$$

式中：TQ 为总水源涵养量（立方米）；P_i 为降雨量（毫米）；R_i 为地表径流量（毫米）；ET_i 为蒸散发（毫米）；A_i 为 i 类生态系统的面积（平方公里）；i 为研究区第 i 类生态系统类型；j 为研究区生态系统类型数；$V_水$ 为西

南 8 个省份喀斯特地区每年涵养水源服务价值量；0.67 为单位库容建设成本。

根据周广胜和张新时(1996)建立的区域实际蒸散模型计算实际蒸散量。式中：ET_t 为 t 月区域实际蒸散量，P_t 为 t 月降水量，R_{nt} 为 t 月净辐射值。

$$ET_t = [P_t \times R_{nt} \times (P_t^2 + P_t \times R_{nt} + R_{nt}^2)] / [(P_t + R_{nt}) \times (P_t^2 + R_{nt}^2)]$$

地表径流量由降水量乘以地表径流系数获得。地表径流系数是指地表径流量(毫米)与降水量的比值，在一定程度上反映了生态系统水源涵养的能力(龚诗涵等，2017)。地表径流系数通过查阅文献资料获得，主要包括公开发表的文献和出版专著上的关于各类型生态系统径流小区的降水、地表径流数据。

$$R = P \times \alpha$$

式中：R 为地表径流量(毫米)；P 为多年平均降水量(毫米)；α 为平均地表径流系数，见表5-4。

表 5-4　各类型生态系统地表径流系数均值

景观类(1级)	景观类(2级)	平均径流系数（%）
林地	常绿阔叶林	4.65
	常绿针叶林	4.52
	针阔混交林	3.52
	落叶阔叶林	2.70
	落叶针叶林	0.88
	稀疏林	19.20
灌丛	常绿阔叶灌丛	4.26
	落叶阔叶灌丛	4.17
	针叶灌丛	4.17
	稀疏灌丛	19.20
草地	高寒草甸	8.20
	高寒草原	6.54
	温带草原	3.94
草地	温带草丛	9.37
	温带草甸草原	9.13
	热带亚热带草丛	3.87
	沼泽和水库	3.87
湿地	沼泽和水库	0.00

(续)

景观类(1级)	景观类(2级)	平均径流系数（%）
裸地	裸地或低覆盖地	3.31
农用地	农耕地、作物	2.40
城市或建筑区	居住区、商业区、路面	60.00~90.00

西南八省份喀斯特地区水源涵养量及服务价值量见表5-5。广西水源涵养量为最高，总水源涵养量约为422亿立方米，占到整个西南喀斯特地区水源涵养量的40%；其次为湖北和湖南，分别为135亿立方米和124亿立方米，分别占13%和12%；四川的水源涵养量最低，仅占1%（图5-15）。

表 5-5 西南八省份水源涵养量及服务价值量

省份	水源涵养量(亿立方米)	生态服务价值(亿元)
湖北	135.08	90.6
湖南	124.17	83.2
广东	85.8	57.48
广西	422.29	282.94
重庆	99.79	66.86
四川	9.1	6.1
贵州	116.88	78.31
云南	65.2	43.69

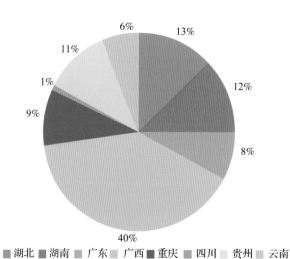

图 5-15 西南八省份喀斯特水源涵养量占比

由于降水条件、植被结构在地理空间上的差异，不同生态系统的水源涵养服务也表现出明显的差异。森林生态系统作为陆地生态系统的主体部分，是提供生态系统服务的重要来源。整个西南喀斯特地区，林地的水源涵养量占到了总量的67%，森林生态系统具有净化水质，持水及调节径流，削洪补枯等作用。主要通过森林的林冠层截留大气降水、枯落物层持水以及土壤层渗透水来进行分配。整个西南八省份喀斯特地区水源涵养服务价值量达709亿元，林地价值最大，其次为耕地，这除了和生态系统类型有关，还受各生态系统类型分布面积的影响。

二、土壤保持服务

由于长期的溶蚀作用，碳酸盐岩岩层孔隙和孔洞发育，形成了特殊的双层水文地质结构。同时，喀斯特坡地土壤总量少、异质性强，导致该区水土流失过程具有隐蔽性、复杂性以及空间异质性等特点（李成志等，2017）。尤其在峡谷区域，河流深切，岩溶垂向发育，地形起伏大，易引发侵蚀。土壤保持服务的量化是权衡石漠化生态治理效益的重要手段之一，水土流失导致石漠化的产生，解决石漠化的实质在于水土保持问题。

水土流失是降雨、径流冲刷地面造成土壤及养分流失的过程。特殊的地质地貌条件，喀斯特坡地水土流失规律与黄土高原、东北黑土区等地貌存在一定差别。在喀斯特山区，地下孔（裂）隙发育，在水土流失过程中，表层土壤不仅随地表水流失，还通过地下孔（裂）隙、落水洞等途径流失。喀斯特山区水土流失由地表流失和地下孔裂隙流失2个途径（赵龙山等，2018）。水土流失往往导致土壤养分流失，进而影响作物生长，同时也会降低土地生产力，而喀斯特区特殊的地质构造，土壤养分还会通过地下孔隙、管道等方式向下漏失。

土壤保持服务指生态系统对调控水土流失以及对泥沙拦截的能力，对维持土地生产力有着关键作用，是生态系统具有的调节服务之一。土壤固持实物量根据潜在侵蚀量与现实侵蚀量差值计算，潜在侵蚀量是指没有植被覆盖情况下土壤侵蚀状况（杨帆等，2019）。潜在侵蚀量与实际侵蚀量之差即为植被覆盖下固土实物量。固土的价值量核算采用替代成本法，即挖取相同土方量所需的市场费用（王在校等，2018）。

$$G = A \times (X_2 - X_1)$$

$$U = A \times C \times G/\rho$$

式中：G 为土壤侵蚀减少量（吨）；U 为植被年土壤保持价值（元/年）；A 为植被面积（公顷）；C 为挖取和运输单位体积土方所需费用，取 63.0 元/立方米；X_2 为无植被地土壤侵蚀模数［吨/（公顷·年）］；X_1 为有植被地土壤侵蚀模数［吨/（公顷·年）］；ρ 为平均密度值 2.65 克/立方厘米。

水土流失受降雨、植被、土壤前期含水量、基岩裸露率、土壤与岩石的空间分布等多种因素综合影响，植被覆盖度低是水土流失进而出现土地石漠化的重要因素。在喀斯特地区随着植被覆盖度的提高，土壤表层含水量呈现减少的趋势，是因为随着植被盖度的提高，植被对土壤水分的吸收作用增强，且较低的植被盖度无法起到有效的保墒作用，降雨迅速通过地下孔隙和通道向下渗漏。

经计算，整个西南喀斯特地区土壤保持价值达 99273 万元。土壤保持量最大的省份为贵州，占到了整个西南喀斯特地区土壤保持量的 25%，其次为广西壮族自治区，占 18%，土壤保持量最少的为四川省，仅占 6%。贵州省地处西南腹地，年降水均量为 1019 毫米，与其他省份相比，贵州省喀斯特地区植被覆盖度较大，特别是林地面积较大，第三次石漠化监测研究表明贵州喀斯特地区林地面积约 673 万公顷，占整个西南喀斯特地区林地面积的 27% 左右（图 5-16）。林地、草地和梯田的土壤物理性状良好，能减轻土壤侵蚀的发生与发展，可有效地发挥保持水土的作用，但是由于大面积岩溶地貌及石漠化的存在，加之人为因素的影响，贵州的水土流失仍然严重，土地资源十分稀少。

表 5-6　土壤保持量及价值量

省份	土壤保持量（万吨）	土壤保持价值（亿元）
湖北	486.35	1.16
湖南	503.53	1.20
广东	95.81	0.23
广西	753.28	1.79
重庆	309.99	0.74
四川	257.15	0.61
贵州	1039.22	2.47
云南	730.41	1.74

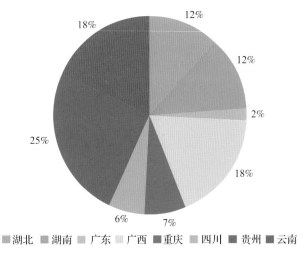

图 5-16　西南八省份喀斯特土壤保持量占比

三、固碳释氧服务

生态系统中的固碳释氧服务主要是以森林生态系统为主。森林生态系统是陆地生态系统的重要组成部分，有着复杂的结构和丰富的物种资源（孙中元等，2020）。森林生态系统通过森林植被、土壤动物、微生物固定碳素、释放氧气（尤海舟等，2017），在全球碳循环中扮演着重要的角色（李俊梅等，2019）。对其固碳释氧功能的评价不仅对喀斯特地区人类生产生活及制定科学合理的营林政策有重要意义，也对喀斯特地区石漠化治理措施的有效性评价有着重要意义。

在森林生态系统服务固碳释氧功能价值评估方面，Costanza、Pimentel等国外专家学者及国内专家学者（肖寒等，2000；余新晓等，2005；尤海舟等，2017；李俊梅等，2019；孙中元等，2020）的大量研究均表明，固碳释氧功能与年净生产力有直接关系。因此在固碳释氧量以及固碳释氧价值的计算上采用国家行业规范统一的公式。

固碳释氧量：$G_{碳} = 1.63A \cdot B_{年} \cdot R_{碳}$

式中：$G_{碳}$ 为植被年固碳量（吨）；$G_{氧}$ 为植被年释氧量（吨）；R 碳为 CO_2 中碳的含量，为 27.27%；$B_{年}$ 为植被年净生产力［吨/（公顷・年）］；A 为植被面积（公顷）。

$$G_{氧} = 1.19 A \cdot B_{年}$$

式中：$G_{氧}$ 为植被年释氧量（吨）；$B_{年}$ 为植被年净生产力［吨/（公顷・

年)];A 为植被面积(公顷)。

固碳释氧价值:$U_碳 = G_碳 \cdot C_碳$

式中:$U_碳$ 为植被年固碳价值(元);$C_碳$ 为市场碳价格(根据瑞典碳税法,碳价格 150 美元/吨,以 1 美元折合 6.64 元人民币(按 2016 年均值)计算固碳效益)。

$U_氧 = G_氧 \cdot C_氧$

式中:$U_氧$ 为植被年制氧价值(元);$C_氧$ 为制氧成本(元/吨)。

西南八省份中,固碳能力最强的为贵州,固碳价值为 401.84 亿元/年,最低为广东,固碳价值为 42.60 亿元/年。八省份固碳价值依次排序为贵州>云南>广西>湖南>湖北>重庆>四川>广东,在空间分布上大体呈现出南强北弱的趋势(图 5-17)。

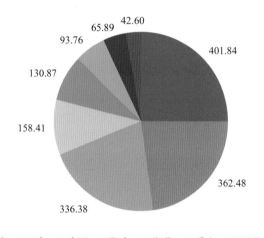

图 5-17　2016 年西南八省份植物固碳能力评价(单位:亿元)

释氧能力最强的为贵州,释氧价值为 1080 亿元/年,释氧能力最低为广东,释氧价值为 115 亿元/年。八省份释氧价值依次排序为贵州>云南>广西>湖南>重庆>湖北>四川>广东,由此可见西南八省份的固碳能力与释氧能力有一定的趋同性(图 5-18)。

对西南八省份不同等级石漠化土地的固碳释氧能力进行评价,湖南、湖北、四川、云南四省份中的石漠化地区均以轻度石漠化区域的固碳能力较强,广东、广西的石漠化地区则以重度石漠化区域的固碳能力较强,贵州以及重庆的石漠化地区以中度石漠化地区的固碳能力较好,这主要与各省区各种程度石漠化分布的面积和比例有关。而对于非石漠化区域以及潜

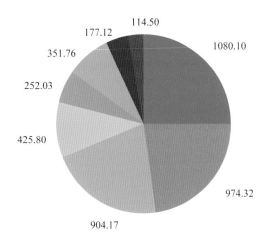

图 5-18　2016 年西南八省份植物释氧能力评价（单位：亿元）

在石漠化区域，除湖北是潜在石漠化区域固碳能力强以外，其他省份以及市均是非石漠化区域的固碳能力较强，这都说明：在轻度石漠化区域以及非石漠化区域等石漠化程度较低或无石漠化的地方有着较好的植被发育条件。

西南八省份不同石漠化等级的释氧能力与固碳能力有同样的趋势，总体上各省份均是以轻度石漠化地区以及非石漠化地区有着较高的释氧能力，可见对于喀斯特地区石漠化区域采取措施来改善石漠化现状，提升区域的植被条件，有着迫切的需求（表 5-7、表 5-8）。

表 5-7　西南八省份不同石漠化等级固碳能力评价

亿元

石漠化等级	湖北	湖南	广东	广西	重庆	四川	贵州	云南
轻度	11.37	15.74	0.55	9.03	9.29	7.04	33.38	51.63
中度	11.04	14.92	0.87	18.58	11.08	6.72	44.81	44.39
重度	2.03	4.99	0.94	32.45	1.65	1.84	9.16	8.71
极重度	0.24	0.41	0.03	1.84	0.16	0.26	0.91	2.63
潜在	63.98	47.08	16.99	107.79	27.24	19.46	130.00	93.19
非石漠化	42.20	75.26	23.22	166.70	44.36	30.57	183.59	161.93
合计	130.86	158.4	42.6	336.39	93.78	65.89	401.85	362.48

表 5-8　西南八省份不同石漠化等级释氧能力评价

亿元

石漠化等级	湖北	湖南	广东	广西	重庆	四川	贵州	云南
轻度	30.56	42.32	1.47	24.28	24.96	18.92	89.72	138.77
中度	29.68	40.11	2.34	49.93	29.78	18.07	120.44	119.33
重度	5.47	13.42	2.53	87.22	4.44	4.95	24.62	23.40
极重度	0.65	1.09	0.08	4.93	0.42	0.71	2.44	7.06
潜在	171.97	126.56	45.67	289.73	73.21	52.31	349.42	250.50
非石漠化	113.42	202.29	62.40	448.08	119.22	82.16	493.47	435.26
合计	351.75	425.79	114.49	904.17	252.03	177.12	1080.11	974.32

　　对于西南八省份不同土地类型的固碳释氧能力进行评价，显然无论是固碳能力还是释氧能力，均是林地>耕地>草地，在林地中又以乔灌林地的能力为优，在林地固碳释氧功能上，均以贵州最强，固碳价值为 241 亿元/年，释氧价值为 647 亿元/年，且贵州>云南>广西>湖北>湖南>重庆>四川>广东。在耕地上固碳释氧能力最高依然是贵州，固碳释氧价值分别为 139 亿元/年、372 亿元/年，且依然排序为贵州>云南>广西>湖南>重庆>湖北>四川>广东。在草地上固碳释氧能力最高的依然是贵州，固碳释氧能力分别为 2.11 亿元/年及 5.67 亿元/年，且排序为贵州>四川>云南>广西>重庆>湖南>湖北>广东。总体上 3 种不同类型的土地可见，贵州的固碳释氧能力最强，广东的固碳释氧能力最弱，且二者之间有着较大的差距，同时通过排序比较，可见湖北林地发展较湖南好，而湖南耕地发展潜力优于湖北，同时四川的草地发展较林地以及耕地在八省份之间也有着一定的优势（表 5-9、表 5-10）。

表 5-9　西南八省份不同土地类型固碳能力评价

亿元

省份	合计	林地		耕地	草地	未利用地	建设用地	水域
		乔灌林地	其他林地					
湖北	130.86	104.90	3.08	20.16	0.12	0.55	1.02	1.03
湖南	158.40	96.65	7.45	44.78	0.16	0.21	6.03	3.12
广东	42.60	29.93	1.15	8.48	0.01	0.29	1.99	0.75
广西	336.39	213.48	4.26	94.33	0.32	7.49	12.48	4.03
重庆	93.78	63.54	3.83	23.78	0.20	0.48	1.16	0.79
四川	65.89	45.42	1.55	13.56	2.02	2.33	0.58	0.43
贵州	401.84	229.72	10.95	138.57	2.11	0.94	16.51	3.04
云南	362.48	205.97	16.25	118.41	1.79	9.49	8.40	2.17

表 5-10　西南八省份不同土地类型释氧能力评价

亿元

省份	合计	林地		耕地小计	草地小计	未利用地小计	建设用地小计	水域小计
		乔灌林地	其他林地					
湖北	351.75	281.95	8.27	54.20	0.33	1.47	2.75	2.78
湖南	425.79	259.78	20.02	120.40	0.42	0.58	16.20	8.39
广东	114.49	80.42	3.07	22.79	0.04	0.79	5.36	2.02
广西	904.17	573.80	11.43	253.56	0.85	20.13	33.55	10.85
重庆	252.03	170.78	10.30	63.91	0.53	1.28	3.12	2.11
四川	177.12	122.08	4.20	36.44	5.43	6.26	1.57	1.14
贵州	1080.11	617.46	29.43	372.45	5.67	2.53	44.39	8.18
云南	974.32	553.63	43.67	318.27	4.81	25.52	22.58	5.84

四、生物多样性保育服务

石漠化生态系统独特的森林气候以及地理条件为动植物的生长繁衍提供了一个多样的环境。通过对西南八省份的喀斯特地区进行生物多样性的评价，从而了解西南八省份喀斯特地区生物多样性的特点。维持生物多样性价值评价，现今可采用的方法为物种保护基准价法、支付意愿调查法、收益资本化法、费用效益分析法、直接市场价值法、机会成本法等（余新晓等，2005；胡涛等，2018）。本章采用生物多样性经济价值评估方法，包括直接价值以及间接价值，直接价值主要指代生物资源产品或简单加工品所获得的市场价值，以及人们生计中消耗生物资源的价值，此外还包括生物多样性在旅游观赏、科学文化和畜力使役等方面的服务价值。间接价值主要指陆地生态系统在有机质的生产、营养物质的固定与循环等方面发挥的生态服务。计算公式如下（《中国生物多样性国情研究报告》）：

$$U_{生物} = S_生 \cdot A$$

式中：$U_{生物}$ 为系统年生物多样性价值（元）；$S_生$ 为单位面积年物种损失的机会成本［元/（公顷·年）］；A 为系统面积（公顷）。

西南八省份生物多样性直接价值最高的为贵州省 1514 亿元/年，最低的为广东省 143 亿元/年，八省份之间排序为贵州>广西>云南>湖南>湖北>重庆>四川>广东。不同地类之间，八省份都以乔灌林地的直接价值最高，乔灌林地中生物多样性直接价值最高的为贵州，耕地类的直接价值也是以贵州最高，在其他林地以及未利用地中生物多样性直接价值最高的为云南，特别的是草地生物多样性直接价值最高的为四川，水域最高的为湖南。不同地类的生物多样性直接价值与间接价值有着相同的趋势，说明生物多样性与区域面积有关，面积越大，价值越高，尤其是林分面积（表 5-11、表 5-12）。

表 5-11　2016 年西南八省份不同地类生物多样性直接价值

亿元

省份	合计	林地			耕地	草地	未利用地	建设用地	水域
		小计	乔灌林地	其他林地					
湖北	686.14	566.12	549.99	16.13	105.72	0.65	2.86	5.37	5.42
湖南	739.98	486.27	451.46	34.81	209.24	0.74	1.00	28.15	14.58
广东	142.66	104.04	100.21	3.83	28.40	0.05	0.98	6.67	2.52
广西	1121.63	725.97	711.80	14.17	314.54	1.06	24.97	41.62	13.45
重庆	440.01	316.13	298.16	17.97	111.58	0.93	2.24	5.45	3.69
四川	374.54	267.04	258.17	8.87	77.06	11.47	13.24	3.31	2.42
贵州	1514.21	906.87	865.62	41.25	522.15	7.94	3.54	62.23	11.47
云南	1069.14	655.43	607.51	47.92	349.25	5.28	28.00	24.77	6.41

表 5-12　2016 年西南八省份不同地类生物多样性间接价值

亿元

省份	合计	林地		耕地	草地	未利用地	建设用地	水域
		乔灌林地	其他林地					
湖北	83.86	67.22	1.97	12.92	0.08	0.35	0.66	0.66
湖南	90.43	55.18	4.25	25.57	0.09	0.12	3.44	1.78
广东	17.45	12.25	0.47	3.47	0.01	0.12	0.82	0.31
广西	137.08	87.00	1.73	38.44	0.13	3.05	5.09	1.64
重庆	53.78	36.44	2.20	13.64	0.11	0.27	0.67	0.45
四川	45.77	31.55	1.08	9.42	1.40	1.62	0.40	0.30
贵州	185.07	105.80	5.04	63.82	0.97	0.43	7.61	1.40
云南	130.68	74.25	5.86	42.69	0.65	3.42	3.03	0.78

西南八省份喀斯特地区不同等级的石漠化区域生物多样性的价值不同。从整体上看，除湖北以外，非石漠化区域的生物多样性直接价值及间接价值均高于石漠化区域，可见良好的植被条件对于生物多样性有着显著的影响。生物多样性最高的为贵州，为 333 亿元/年，依次排序为贵州>云南>广西>湖南>湖北>重庆>四川>广东，广东最低，价值仅为 8 亿元/年。整体上来看，大多数省份均以轻度石漠化区域生物多样性价值较高（湖北、

湖南、四川、云南），重庆、贵州则是以中度石漠化区域生物多样性价值高，广东及广西则是以重度石漠化区域生物多样性价值高，西南八省份中并无省份在极重度石漠化区域有着较好的生物多样性价值，并在该区生物多样性价值最高的省份为云南价值为 7.75 亿元/年，最低的为广东，价值为 0.10 亿元/年。生物多样性直接价值与间接价值有着同样趋势（图 5-19、图 5-20）。

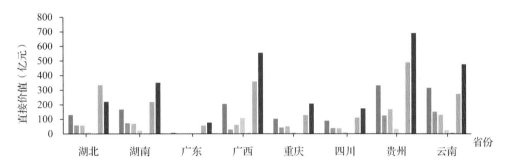

图 5-19　2016 年西南八省份石漠化等级生物多样性直接价值

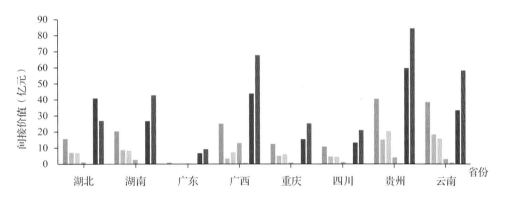

图 5-20　2016 年西南八省份石漠化等级生物多样性间接价值

对于西南八省份内不同的地貌来说，生物多样性价值也存在着较大差异，岩溶山地无论是在石漠化区域、潜在石漠化区域，还是非石漠化区域，都有着较高的生物多样性价值，8 个不同地貌之间的总价值排序为岩溶山地>岩溶丘陵>峰丛洼地>岩溶槽谷>孤峰残丘及平原>岩溶峡谷>峰林洼地>岩溶断陷盆地。在非石漠化区域，价值排序为岩溶山地>岩溶丘陵>峰丛洼地>岩溶槽谷>孤峰残丘及平原>岩溶峡谷>峰林洼地>岩溶断陷盆地，直接价值最高 1429 亿元/年，最低为 8 亿元/年，间接价值最高 175

亿元/年，最低0.97亿元/年。在石漠化地区，价值排序为岩溶山地>峰丛洼地>岩溶槽谷>岩溶丘陵>岩溶峡谷>孤峰残丘及平原>峰林洼地>岩溶断陷盆地，直接价值最高为757亿元/年，最低2亿元/年，间接价值最高为93亿元/年，最低0.27亿元/年，可见不同地貌以及不同石漠化程度对于生物多样性价值都有着影响（图5-21、图5-22）。

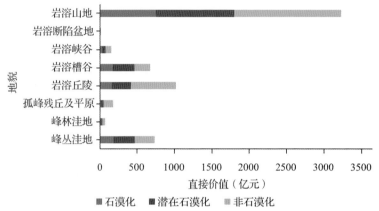

图5-21　2016年西南八省份不同地貌生物多样性直接价值评估

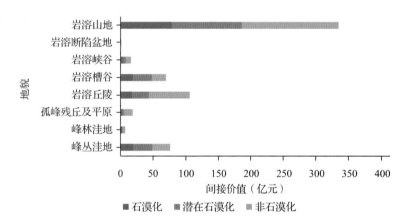

图5-22　2016年西南八省份不同地貌生物多样性间接价值评估

五、西南八省份喀斯特生态系统服务总价值

综合2016年西南八省份涵养水源价值、土壤保持价值、植物固碳释氧价值、生物多样性价值，四项生态系统服务总价值达1.3424万亿元，其中以贵州为最高，达到3262亿元，其次为广西2784亿元，云南2582亿元。八省份的价值排序为贵州>广西>云南>湖南>湖北>重庆>四川>广东，位于第八位的广东总服务价值仅为375亿元，整体而言八省份各项服务价值，广东的价值均较低，而贵州均处于较高水平。从服务价值的构成

来看，固碳释氧价值占比较高，其次为生物多样性价值，但其比重远低于固碳释氧价值，土壤保持价值最低，说明对于区域而言保护植被十分重要（表 5-13、图 5-23、图 5-24）。

表 5-13 2016 年西南八省份生态系统总服务价值

亿元

省份	涵养水源	土壤保持	植物固碳	植物释氧	生物多样性直接价值	生物多样性间接价值	合计
湖北	90.6	1.16	130.86	351.75	686.14	83.86	1344.37
湖南	83.20	1.20	158.40	425.79	739.98	90.43	1499
广东	57.48	0.23	42.6	114.49	142.66	17.45	374.91
广西	282.94	1.79	336.39	904.17	1121.63	137.08	2784
重庆	66.86	0.74	93.78	252.03	440.01	53.78	907.2
四川	6.10	0.61	65.89	177.12	374.54	45.77	670.03
贵州	78.31	2.47	401.84	1080.11	1514.21	185.07	3262.01
云南	43.69	1.74	362.48	974.32	1069.14	130.68	2582.05
合计	709.18	9.94	1592.24	4279.78	6088.31	744.12	13423.57

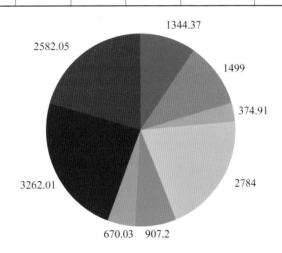

■湖北 ■湖南 ■广东 ■广西 ■重庆 ■四川 ■贵州 ■云南

图 5-23 2016 年西南八省份生态系统总服务价值（单位：亿元）

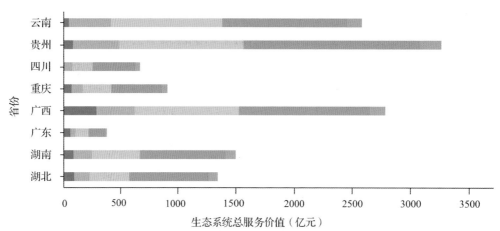

涵养水源价值　土壤保持价值　植物固碳价值　植物释氧价值　生物多样性直接价值　生物多样性间接价值

图 5-24　2016 年西南八省份生态系统总服务价值构成

第四节　喀斯特生态系统服务提升对策建议

石漠化严重制约着岩溶地区经济社会可持续发展，是推进生态文明建设的重点和难点问题。虽然经过多年的持续治理和保护，石漠化防治取得了阶段性成果（Tong et al.，2018；国家林业和草原局，2018），但岩溶地区生态保护任务重，石漠化修复难度大，治理成本高，导致石漠化扩展的人地矛盾等自然因素和社会因素依然存在，石漠化防治依然具有长期性和艰巨性，防治工作任重道远。为了实现人民对美好生活的向往，继续推进生态文明建设，必须坚定不移贯彻创新、协调、绿色、开放、共享的发展理念，加大防治力度，扩大治理范围，提升治理水平，全面推进石漠化防治工作，促进喀斯特生态系统服务功能的提升。

一、丰富生态系统服务研究理论基础，建构多学科综合研究体系

生态学、地理学等自然学科是生态系统服务的理论基础，而社会学科的理论和思想较少被应用。生态系统服务涉及自然、经济和社会方方面面，是研究自然—经济—社会关系的主要概念和手段，是生态系统和人类福祉的主要连接。目前，生态系统服务分类与评估中已经引入了经济学相关理论，通过将各类服务货币化进行服务间的比较分析，但所涉及的经济和社会学科内容还不够全面，还需要引入更多合适的理论对生态系统服务

协同与权衡关系的分析和管理决策提供支撑，譬如市场均衡理论、生产理论、供需理论等，以达到生态系统服务利用综合效益最大化（曹祺文等，2016）。同时，在研究过程中还要加强地理学科和社会学科的交叉和衔接，充分发挥其互补作用，构建完整全面的"格局—过程—服务—关系—人类福祉"的综合研究框架。

二、科学推进石漠化综合治理，促进喀斯特生态系统的自然修复

抓住石漠化"缺土少水"核心生态问题，遵循"山水林田湖草"生命共同体理念与喀斯特地区自然规律，统筹规划，因地制宜地采取生物措施、工程措施和技术措施，宜林则林、宜灌则灌、宜草则草、宜耕则耕，科学配置，确保成效，科学推进石漠化综合治理。因地制宜，分类施策，对潜在石漠化土地采取预防与保护措施，巩固石漠化治理成果；对石漠化土地实施科学治理，实现标本兼治，协同增效。优先布局长江经济带中上游生态屏障区、滇黔桂石漠化集中连片特殊困难地区等，以点带面，全面推进石漠化防治。强化科技创新与攻关，解决石漠化防治的"技术瓶颈"；完善科技推广机制，加强科技成果推广应用，提升石漠化防治科技含量。同时，充分发挥市场调节机制，引导社会资本参与石漠化防治，拓宽投资渠道，共享治理成果。优先对脆弱或退化的喀斯特生态系统及现有林草植被实行严格保护，利用喀斯特地区良好水热条件，充分发挥其自我恢复能力，促进喀斯特生态系统的自然修复，提高其生态功能与服务价值，切实遏制土地石漠化的发生。

三、促进喀斯特地区社会与自然生态系统系统的协调统一

针对喀斯特地区石漠化治理转型面临的生态质量低与稳定性差，忽视社会系统与生态系统的协同及其可持续性等问题，应进一步科学揭示喀斯特地区生态恢复的关键社会人文过程、社会—生态过程、地表—地下水土过程与植被恢复过程及其耦合机理，攻克促进喀斯特区域不同恢复与保护措施下喀斯特生态系统健康、石漠化治理提质增效、生态系统稳定性与生态产品供给能力提升的技术瓶颈，提出适度发展与生态保护有机结合的南方喀斯特区可持续发展的社会—生态系统综合解决方案，为喀斯特地区向高质量绿色发展转变与生态系统服务稳定性提升提供科技支撑。将石漠化

地区的生态资源优势转化为发展优势，提出西南岩溶石漠化区绿水青山转变为金山银山的转换机制，提升岩溶生态系统服务功能。在提升生态系统服务的基础上，实现石漠化治理的提质与增效、多功能(生态、生产、生活、文化等)提升。实现"治石与治贫"相结合，促进喀斯特地区社会与自然生态系统的协调统一，助力喀斯特地区乡村振兴和社会可持续发展。

四、健全公众参与机制，提高生态系统管理的科技支撑能力

专家和社会公众是生态空间保护的重要力量，应健全公众参与机制，引导各方社会力量参与喀斯特生态系统修复及管理的政策制定、规划编制、保护监督等工作。充分发挥专家学者的顾问和引导作用，大力培育多种形式的非营利组织，有效发挥非营利组织的润滑、纽带作用，形成多元参与、协同共治的局面，避免政府部门与土地权利人的单方面直接冲突，提高决策的科学性和可实施性。加强政府在生态系统管理中的综合协调，理顺不同的政府部门之间和大流域上下游不同行政区域之间的协调和合作机制，推进全社会共同参与。推进实施生态补偿政策，制定生态补偿标准时，需要考虑的因素颇多，比如各乡镇的生态环境状况、经济与社会发展水平、实施生态红线保护等级等。提供对生态系统服务的广大乡村地区实施"以奖促治"的财政激励政策，并开展生态补偿试点，培育生态建设产业和市场。

参考文献

《京津风沙源治理工程二期规划思路研究》项目组，2013. 京津风沙源治理工程二期规划思路研究[M]. 北京：中国林业出版社.

包岩峰，杨柳，龙超，等，2018. 中国防沙治沙60年回顾与展望[J]. 中国水土保持科学，16(2)：144-150.

蔡晓明，2000. 生态系统生态学[M]. 北京：科学出版社.

曹建华，蒋忠诚，袁道先，等，2017. 岩溶动力系统与全球变化研究进展[J]. 中国地质，44(5)：874-900.

曹祺文，卫晓梅，吴健生，2016. 生态系统服务权衡与协同研究进展[J]. 生态学杂志，35(11)：3102-3111.

常兆丰，1997. 我国荒漠生态系统定位研究的现状与基本思路[J]. 干旱区资源与环境，11(3)：53-57.

陈洪松，岳跃民，王克林，2018. 西南喀斯特地区石漠化综合治理：成效，问题与对策[J]. 中国岩溶，37(1)：37-42.

陈曦，等，2010. 中国干旱区自然地理[M]. 北京：科学出版社.

陈业新，2012. 秦汉时期乌兰布和北部地区生态状况的再考察[J]. 秦始皇帝陵博物院院刊(第二辑)：382-398.

程磊磊，郭浩，卢琦，2013. 荒漠生态系统服务价值评估研究进展[J]. 中国沙漠，33(1)：281-287.

程磊磊，郭浩，吴波，等，2016. 荒漠生态系统功能及服务的评估体系与方法[J]. 绿洲农业科学与工程，2(1)：12-18.

程磊磊，却晓娥，杨柳，等，2020. 中国荒漠生态系统：功能提升、服务增效[J]. 中国科学院院刊，35(6)：690-698.

慈龙骏，杨晓晖，陈仲新，2002. 未来气候变化对中国荒漠化的潜在影响[J]. 地学前缘，9(2)：44-51.

崔向慧，卢琦，郭浩，2017. 荒漠生态系统长期观测标准体系研究与构建[J]. 中国沙漠，37(6)：1121-1126.

崔向慧，卢琦，2012. 中国荒漠化防治标准化发展现状与展望[J]. 干旱区研究，

29（5）：913-919.

但新球，吴照柏，吴协保，等，2019. 近15年中国岩溶地区石漠化土地动态变化研究[J]. 中南林业调查规划，38（2）：3-9.

董光荣，李保生，高尚玉，等，1983. 鄂尔多斯高原第四纪古风成沙的发现及其意义[J]. 科学通报（16）：40-43.

董光荣，李森，李保生，等，1991. 中国沙漠形成演化的初步研究[J]. 中国沙漠（04）：27-36.

董战峰. 为全球荒漠化治理贡献中国智慧[EB/OL].［2017-09-06］. http://www.rmzxb.com.cn/c/2017-09-06/1771122.html.

董治宝，屈建军，2009. 库姆塔格沙漠地貌图[M]. 北京：科学出版社.

董治宝，2011. 库姆塔格沙漠风沙地貌[M]. 北京：科学出版社.

方小敏，史正涛，杨胜利，等，2002. 天山黄土和古尔班通古特沙漠发育及北疆干旱化[J]. 科学通报，47（007）：540.

冯季昌，姜杰，1996. 论科尔沁沙地的历史变迁[J]. 中国历史地理论丛（4）：105-120.

冯剑丰，李宇，朱琳，2009. 生态系统功能与生态系统服务的概念辨析[J]. 生态环境学报，18（4）：1599-1603.

冯益明，卢琦，2017. 中国戈壁分布图[M]. 北京：中国地图出版社.

龚诗涵，肖洋，郑华，等，2017. 中国生态系统水源涵养空间特征及其影响因素[J]. 生态学报，37（7）：2455-2462.

郭峰，李再军，2012. 中国西部干旱区沙漠形成演化概述[J]. 中国科技论文在线.

郭柯，刘长成，董鸣，2011. 我国西南喀斯特植物生态适应性与石漠化治理[J]. 植物生态学报，35（10）：991-999.

国家林业和草原局，2018. 中国获得2017年"政策界奥斯卡奖"：荒漠化治理引领全球[R/OL].［2018-03-28］. http://www.forestry.gov.cn/zsb/989/20180328/1086820.html

国家林业和草原局，2018. 中国岩溶地区石漠化状况公报[R].

国家林业局，2006. 国家林业科技创新体系建设规划纲要（2006—2020年）[R/OL].［2006-09-12］. http://www.forestry.gov.cn/main/4818/content-796814.html.

国家林业局，2009. 国家林业局陆地生态系统定位观测研究网络中长期发展规划（2008—2020年）[R].［2009-05-21］. https://www.doc88.com/p-5691012542911.html.

韩东，王浩舟，郑邦友，等，2018. 基于无人机和决策树算法的榆树疏林草原植被类型划分和覆盖度生长季动态估计[J]. 生态学报，38(18)：6655-6663.

何彤慧，王乃昂，黄银洲，等，2008. 宁夏河东沙地历史时期沙漠化过程新探[J]. 宁夏社会科学(2)：108-111.

侯仁之，1964. 从人类活动的遗迹探索宁夏河东沙区的变迁[J]. 科学通报(3)：226-231.

侯仁之，1973. 从红柳河上的古城废墟看毛乌素沙漠的变迁[J]. 文物(1)：35-41.

胡涛，李延风，黄盼盼，等，2018. 区域物种保育更新服务功能综合评估[J]. 环境科学研究，31(12)：2112-2123.

贾铁飞，银山，何雨，等，2003. 乌兰布和沙漠东海子湖全新世湖相沉积结构分析及其环境意义[J]. 中国沙漠(2)：67-72.

景爱，2000. 沙漠考古通论[M]. 北京：紫禁城出版社.

孔凡洲，于仁成，徐子钧，等，2012. 应用 Excel 软件计算生物多样性指数[J]. 海洋科学，36(4)：57-62.

库姆塔格沙漠综合科学考察队，2012. 库姆塔格沙漠研究[M]. 北京：科学出版社.

库姆塔格沙漠综合科学考察队，2017. 库姆塔格沙漠综合自然地理图集[M]. 北京：中国地图出版社.

李并成，2003. 河西走廊历史时期沙漠化研究[M]. 北京：科学出版社.

李成志，连晋姣，陈洪松，等，2017. 喀斯特地区县域土壤侵蚀估算及其对土地利用变化的响应[J]. 中国水土保持科学，15(5)：39-47

李江风，等，2012. 荒漠生态气候与环境[M]. 北京：气象出版社.

李俊梅，龚相澥，张雅静，等，2019. 滇池流域森林生态系统固碳释氧服务价值评估[J]. 云南大学学报(自然科学版)，41(3)：629-637.

李文华，2008. 生态系统服务功能价值评估的理论、方法与应用[M]. 北京：中国人民大学出版社.

李永华，2010. 白刺叶片性状对人工增水的响应[D]. 北京：中国林业科学研究院.

李卓，孙然好，张继超，等，2017. 京津冀城市群地区植被覆盖动态变化时空分析[J]. 生态学报，37(22)：7418-7426.

刘春，吕殿青，陈洪松，等，2014. 中国西南岩溶地区生态环境脆弱性及成因分析[J]. 地质灾害与环境保护，25(2)：49-53.

刘丛强，2009. 生物地球化学过程与地表物质循环：西南喀斯特土壤-植被系统生源要素循环[M]. 北京：科学出版社.

刘风章，2011. 干旱荒漠区油田开发与生态系统服务功能研究[J]. 油气田环境保护，21(3)：60-63.

刘纪远，邵全琴，于秀波，等，2016. 中国陆地生态系统综合监测与评估[M]. 北京：科学出版社.

卢琦，等，2014. 荒漠生态系统功能评估与服务价值研究[M]. 北京：科学出版社.

卢琦，郭浩，崔向慧，等，2012. 荒漠生态系统服务评估规范(LY/T 2006—2012)[S]. 北京：中国标准出版社.

卢琦，郭浩，吴波，等，2016. 荒漠生态系统功能评估与服务价值研究[M]. 北京：科学出版社.

卢琦，贾晓红，2019. 荒漠生态学[M]. 北京：中国林业出版社.

卢琦，雷加强，李晓松，等，2020. 大国治沙：中国方案与全球范式[J]. 中国科学院院刊，35(6)：655-664.

卢琦，李永华，崔向慧，等，2020. 中国荒漠生态系统定位研究网络的建设与发展[J]. 中国科学院院刊，35(6)：779-792.

卢琦，万志红，程磊磊，2015. 人类，你对荒漠知多少？[J]. 生态文明世界(3)：34-43.

卢琦，王继和，褚建民，2012. 中国荒漠植物图鉴[M]. 北京：中国林业出版社.

卢琦，贾晓红，2019. 荒漠生态学[M]. 北京：中国林业出版社.

卢琦，李新荣，肖洪浪，等，2004. 荒漠生态系统观测方法[M]. 北京：中国环境科学出版社.

卢琦，2000. 中国沙情[M]. 北京：开明出版社.

闵云艺，阮国良，2015. 基于VBA的几种常见生物多样性指数的计算[J]. 科技资讯，13(34)：247-249.

欧阳志云，靳乐山，2018. 面向生态补偿的生态系统生产总值(GEP)和生态资产核算[M]. 北京：科学出版社.

任鸿昌，吕永龙，姜英，等，2004. 西部地区荒漠生态系统空间分析[J]. 水土保持通报(5)：54-59.

任鸿昌，孙景梅，祝令辉，等，2007. 西部地区荒漠生态系统服务功能价值评估[J]. 林业资源管理(6)：67-69.

尚玉昌，2010. 普通生态学[M]. 北京：北京大学出版社.

史晨璐，吴秀芹，2020. 喀斯特断陷盆地土地利用对生态系统生产力的影响[J]. 北京大学学报(自然科学版)，56(2)：341-351.

孙中元，官静，苏爱锋，等，2020. 基于GIS的森林生态系统固碳释氧功能评估：以烟台市为例[J]. 林业与生态科学，35(4)：405-413.

唐毅，蒋德明，陈雪峰，等，2011. 疏林草原榆树天然更新研究进展[J]. 中国沙漠，31(5)：1226-1230.

屠志方，李梦先，孙涛，2016. 第五次全国荒漠化和沙化监测结果及分析[J]. 林业资源管理 (1)：1-5.

万华伟，王永财，侯鹏，等，2019. 2001—2016年中国生物多样性保护优先区域植被和水域动态监测与分析[J]. 生态与农村环境学报，35(3)：273-282.

王海涛，吴福莉，方小敏，等，2020. 中中新世气候适宜期西北内陆干旱区气候演化特征[J]. 地球环境学报，11(1)：45-65.

王建锋，谢世友，2008. 西南喀斯特地区石漠化问题研究综述[J]. 环境科学与管理(11)：147-152.

王建兰，尹维纳. 沙漠化发生规律及其综合防治模式研究. [2007-03-08]. http://www.greentimes.com/greentimepaper/html/2007-03/08/content_23713.html.

王俊丽，张忠华，胡刚，等，2020. 基于文献计量分析的喀斯特植被生态学研究态势[J]. 生态学报，40(3)：1113-1124.

王尚义，1987. 历史时期鄂尔多斯高原农牧业的交替及其对自然环境的影响[J]. 历史地理(第五辑).

王世杰，李阳兵，李瑞玲，2003. 喀斯特石漠化的形成背景、演化与治理[J]. 第四纪研究，23(6)：657-666.

王守春，1985. 近年我国沙漠变迁研究简述[J]. 地理研究(3)：104-45.

王涛，赵哈林，2005. 中国沙漠科学的五十年[J]. 中国沙漠，25(2)：145-165.

王先彦，鹿化煜，季峻峰，等，2006，青藏高原东北缘中新世红色土状堆积序列的成因及其对亚洲干旱过程的指示[J]. 中国科学D辑，36(3)：261-272.

王在校，潘韬，张玉虎，等，2018. 西藏自治区森林生态系统服务功能损益核算研究[J]. 首都师范大学学报(自然科学版)，39(1)：77-81.

吴协保，2016. 继续推进岩溶地区石漠化综合治理二期工程的现实意义[J]. 中国岩溶，35(5)：469-475.

肖寒，欧阳志云，赵景柱，等，2000. 森林生态系统服务功能及其生态经济价值评估初探：以海南岛尖峰岭热带森林为例[J]. 应用生态学报(4)：481-484.

肖生春，肖洪浪，卢琦，等，2013. 中国沙漠生态系统水文调控功能及其服务价值评估[J]. 中国沙漠，33(5)：1568-1576.

熊康宁，2014. 中国南方喀斯特内涵深刻、历史悠久的故事[J]. 世界遗产(6)：
    29-30.

杨东，方小敏，董光荣，等，2006. 早更新世以来腾格里沙漠形成与演化的风成
    沉积证据[J]. 海洋地质与第四纪地质，26(1)：93-100.

杨帆，黄麟，邵全琴，等，2015. 2010 年贵州省南部森林生态系统固碳释氧服务
    功能价值评估[J]. 贵州师范大学学报(自然科学版)，33(3)：5-11.

尤海舟，王超，毕君，2017. 河北省森林生态系统固碳释氧服务功能价值评估
    [J]. 西部林业科学，46(4)：121-127.

余新晓，鲁绍伟，靳芳，等，2005. 中国森林生态系统服务功能价值评估[J]. 生
    态学报(8)：2096-2102.

袁道先，2014. 西南岩溶石山地区重大环境地质问题及对策研究[M]. 北京：科
    学出版社.

赵龙山，侯瑞，吴发启，2018. 喀斯特山区乡村聚落水土流失监测指标[J]. 中国
    水土保持科学，16(1)：80-87.

赵明，詹科杰，杨自辉，等，2011. 民勤沙漠—绿洲低空沙尘暴结构特征研究
    [J]. 中国科学：地球科学，41(2)：234-242.

郑沛，杨林伟，韩玮，等，2020. 基于生态系统服务功能的森林社会效益价值评
    估：以云南省森林资源为例[J]. 生态经济，36(5)：161-170.

中国黑戈壁地区生态本底科学考察队，2014. 中国黑戈壁研究[M]. 北京：科学
    出版社.

中国科学技术协会，中国水土保持学会，2020. 水土保持与荒漠化防治学科技术
    路线图[M]. 北京：中国科学技术出版社.

中国科学院中国自然地理编辑委员会，1982. 历史自然地理[M]. 北京：科学出
    版社.

周佳雯，高吉喜，高志球，等，2018. 森林生态系统水源涵养服务功能解析[J].
    生态学报，38(5)：1679-1686.

周小舟，蒋宣斌，王震，等，2013. 石漠化综合治理与植被恢复技术体系[J]. 现
    代农业科技(1)：234-236.

邹逸麟，张修桂，2013. 中国历史自然地理[M]. 北京：科学出版社.

An Z, Kutzbach J E, Prell W L, et al, 2001. Evolution of Asian monsoons and
    phased uplift of the Himalaya-Tibetan plateau since Late Miocene times [J]. Nature,
    411(6833)：62-66.

Bao Y，Cheng L，Lu Q，2019. Assessment of desert ecological assets and counter-measures for ecological compensation［J］. Journal of Resources and Ecology，10（1）：56-62.

Bennett E M，Peterson G D，Gordon L J，2009. Understanding relationships among multiple ecosystem services［J］. Ecological Letters，12：1394-1404.

Caroni R，van de Bund W，Clarke R T，et al，2013. Combination of multiple biolog-ical quality elements into waterbody assessment of surface waters［J］. Hydrobiologia. 704：437-451.

Chen C，Park T，Wang X，et al，2019. China and India lead in greening of the world through land-use management［J］. Nat. Sustain. 2：122-129.

Costanza R，d'Arge R，de Groot R，et al，1997. The value of the world's ecosystem services and natural capital［J］. Nature，387：253-260.

Costanza R，de Groot R，Sutton P，et al，2014. Changes in the global value of eco-system services［J］. Global Environmental Change，26：152-158.

Cowie A L，Orr B J，Castillo Sanchez，et al，2018. Land in balance：The scientific conceptual framework for Land Degradation Neutrality［J］. Environ. Sci. Policy，79：25-35.

Daily G C，1997. Nature's Services：Societal Dependence on Natural Ecosystems［M］. Washington DC：Island Press.

DeFries R，Achard F，Brown S，et al，2007. Earth observations for estimating green-house gas emissions from deforestation in developing countries［J］. Environmental Science & Policy，10（4）：385-394.

Ding Z，Derbyshire E，Yang S，et al，2005. Stepwise expansion of desert environ-ment across northern China in the past 3. 5 Ma and implications for monsoon evolution ［J］. Earth and Planetary Science Letters，237（1-2）：45-55.

Ding Z，Xiong S，Sun J，et al，1999. Pedostratigraphy and paleomagnetism of a ~ 7. 0 Ma eolian loess-red clay sequence at Lingtai，Loess Plateau，north-central Chi-na and the implications for paleomonsoon evolution［J］. Palaeogeography，Palaeo-climatology，Palaeoecology，152（1）：49-66.

Ehrlich P，Ehrlich A，1981. Extinction：The Causes and Consequences of the Disap-pearance of Species［M］. New York：Random House.

Fang X，An Z，Clemens S C，et al，2020. The 3. 6-Ma aridity and westerlies history over midlatitude Asia linked with global climatic cooling［J］. Proceedings of the National Academy of Sciences, 117(40).

Geist H J, Lambin E F, 2004. Dynamic Causal Patterns of Desertification [J]. Bioscience, 54: 817-829.

Guan Q, Pan B, Li N, et al, 2011. Timing and significance of the initiation of present day deserts in the northeastern Hexi Corridor, China [J]. Palaeogeography Palaeoclimatology Palaeoecology, 306(1-2): 70-74.

Guo Z T, Peng S Z, Hao Q Z, et al, 2001. Origin of the Miocene-Pliocene Red-Earth Formation at Xifeng in Northern China and implications for paleoenvironments [J]. Palaeogeography Palaeoclimatology Palaeoecology, 170(1-2): 11-26.

Harris A, Carr A S, Dash J, 2014. Remote sensing of vegetation cover dynamics and resilience across southern Africa [J]. International Journal of Applied Earth Observation and Geoinformation, 28: 131-139.

Heller F, Liu T, 1982. Magnetostratigraphical dating of loess deposits in China [J]. Nature, 300(5891): 431-433.

Jiang Z, Lian Y, Qin X, 2014. Rocky desertification in Southwest China: Impacts, causes, and restoration[J]. Earthence Reviews, 132(3): 1-12.

Li H, Liu F, Cui Y, et al, 2017. Human settlement and its influencing factors during the historical period in an oasis-desert transition zone of Dunhuang, Hexi Corridor, northwest China[J]. Quaternary International, 458(6): 113-122.

Li J X, Yue L P, Roberts A P, et al, 2018. Global cooling and enhanced Eocene Asian mid-latitude interior aridity [J]. Nature Communications, 9(1).

Li G, Li Y, Liu M, et al, 2011. Vegetation Biomass and Net Primary Production of Sparse Forest Grassland in Hunshandake Sandland [J]. Sci. Technol. Rev. 29: 30-37.

Li X, Wang H, Wang J, et al, 2015. Land degradation dynamic in the first decade of twenty-first century in the Beijing-Tianjin dust and sandstorm source region [J]. Environ. Earth Sci., 74: 4317-4325.

Liu L, Wang H, Lin C C, Wang D L, 2013. Vegetation and community changes of elm (Ulmus pumila) woodlands in Northeastern China in 1983-2011 [J]. Chinese Geographical Science, 23(3): 321-330.

Liu X, Zhang W, Wu M, et al, 2019. Changes in soil nitrogen stocks following vegetation restoration in a typical karst catchment [J]. Land Degradation & Development, 30(1): 60-72.

Liu X, Zhang W, Cao J, et al, 2018. Carbon sequestration of plantation in Beijing-Tianjin sand source areas [J]. J. Mt. Sci., 15: 2148-2158.

Lu H, Hu T, Wang X, 2009. Cycles and forcing mechanism of wet-dry variations in north China during the past 11 million years revealed by wind-blown silt deposits [J]. Geological Journal of China Universities, 15(2): 149-158.

Lu H, Sun D, 2000. Pathways of dust input to the Chinese Loess Plateau during the last glacial and interglacial periods [J]. Catena (Giessen), 40(3): 251-261.

Lu H, Wang X, An Z, et al, 2004. Geomorphologic evidence of phased uplift of the northeastern Qinghai-Tibet Plateau since 14 million years ago [J]. Science in China. Series D, Earth sciences, 47(9): 822-833.

Lu H, Wang X, Li L, 2010. Aeolian sediment evidence that global cooling has driven late Cenozoic stepwise aridification in central Asia [J]. Geological Society London Special Publications, 342(1): 29-44.

Lu H, Wang X, Wang X, et al, 2019. Formation and evolution of Gobi Desert in central and eastern Asia [J]. Earth-Science Reviews, 194: 251-263.

Lu H, Yi S, Xu Z, et al, 2013. Chinese deserts and sand fields in Last Glacial Maximum and Holocene Optimum [J]. Chinese Science Bulletin, 58(23): 2775-2783.

Lu F, Hu H, Sun W, et al, 2018. Effects of national ecological restoration projects on carbon sequestration in China from 2001 to 2010 [J]. Proc. Natl. Acad. Sci., 115: 4039-4044.

Maestre F T, Eldridge D J, Soliveres S, et al, 2016. Structure and functioning of dryland ecosystems in a changing world [J]. Annu. Rev. Ecol. Evol. Syst., 47: 215-237.

Malenovsky Z, Lucieer A, King D H, et al, 2017. Unmanned aircraft system advances health mapping of fragile polar vegetation [J]. Methods in Ecology and Evolution, 8(12): 1842-1857.

Meersmans J, Wesemael B V, Goidts E, et al, 2011. Spatial analysis of soil organic carbon evolution in Belgian croplands and grasslands, 1960-2006 [J]. Glob. Change Biol., 17: 466-479.

Middleton N, 2018. Rangeland management and climate hazards in drylands: dust storms, desertification and the overgrazing debate [J]. Nat. Hazards., 92: 57-70.

Millennium Ecosystem Assessment (MEA), 2005. Ecosystems and Human Well-being：A Framework for Assessment ［M］. Washington DC：Island Press.

Millennium Ecosystem Assessment, 2005. Ecosystems and Human Well-Being：Synthesis ［M］. Washington DC：Island Press.

Pan X, Luo Z, Liu Y, 2016. Environmental deterioration of farmlands caused by the irrational use of agricultural technologies ［J］. Front. Environ. Sci. Eng. , 10：18.

Pettke T, Halliday A N, Rea D K, 2002. Cenozoic evolution of Asian climate and sources of Pacific seawater Pb and Nd derived from eolian dust of sediment core LL44-GPC3 ［J］. Paleoceanography, 17(3)：1-3.

Qiang X, An Z, Song Y et al, 2011. New eolian red clay sequence on the western Chinese Loess Plateau linked to onset of Asian desertification about 25 Ma ago ［J］. Science China Earth Sciences, 54(1)：136-144.

Raji S A, Odunuga S, Fasona M, 2019. GIS-Based Vulnerability Assessment of the Semi-Arid Ecosystem to Land Degradation：Case Study of Sokoto-Rima Basin ［J/OL］. J. Environ. Prot. , 10：1224. https：//doi. org/10. 4236/jep. 2019. 1010073.

Ramanathan, R, 2001. A note on the use of the analytic hierarchy process for environmental impact assessment ［J］. J. Environ. Manage. , 63：27-35.

Rea D K, Snoeckx H, Joseph L H, 1998. Late Cenozoic Eolian deposition in the North Pacific：Asian drying, Tibetan uplift, and cooling of the northern hemisphere ［J］. Paleoceanography13(3)：215-224.

Reynolds J F, Smith D M, Lambin E F, et al, 2007. Global desertification：building a science for dryland development ［J］. Science, 316：847-851.

Runnström M C, 2000. Is Northern China winning the battle against desertification? Satellite remote sensing as a tool to study biomass trends on the Ordos Plateau in semiarid China ［J］. AMBIO J. Hum. Environ. , 29：468-476.

Safriel U, Adeel Z, Niemeijer D, et al, 2005. Dryland systems// Ecosystems and Human Well-being：Current State and Trends ［M］. Washington DC：Island Press：623-662.

Scheffer M, Carpenter S, Foley J A, et al, 2001. Catastrophic shifts in ecosystems ［J］. Nature. 413：591.

Schmoldt D, Kangas J, Mendoza G A, 2013. The analytic hierarchy process in natural resource and environmental decision making ［M］. Springer Science & Business Media, LLC.

SEEA-EEA, 2014. System of Environmental-Economic Accounting 2012-Experimental

Ecosystem Accounting.

Shi Z, Chen T, Storozum M J, et al, 2019. Environmental and social factors influencing the spatiotemporal variation of archaeological sites during the historical period in the Heihe River basin, northwest China [J]. Quaternary International, 507 (FEB. 25): 34-42.

Sims N, Green C, Newnham G, et al, 2017. Good practice guidance. SDG Indicator 15.3.1: Proportion of land that is degraded over total land area. Version 1.0. Presented at the United Nations Convention to Combat Desertification[J/OL]. Bonn, Germany. https://www.unccd.int/sites/default/files/relevant-links/2017-10/Good%20 Practice%20Guidance_ SDG%20Indicator%2015.3.1_ Version%201.0. pdf.

Sims N C, Barger N N, Metternicht G I, et al, 2020. A land degradation interpretation matrix for reporting on UN SDG indicator 15.3.1 and land degradation neutrality[J]. Environ. Sci. Policy. 114: 1-6.

Sims N C, England J R, Newnham G J, et al, 2019. Developing good practice guidance for estimating land degradation in the context of the United Nations Sustainable Development Goals [J]. Environ. Sci. Policy. , 92: 349-355.

Smith P, 2004. How long before a change in soil organic carbon can be detected? [J]. Glob. Change Biol. , 10: 1878-1883.

Song Y, Fang X, Torii M, et al, 2007. Late Neogene rock magnetic record of climatic variation from Chinese eolian sediments related to uplift of the Tibetan Plateau [J]. Journal of Asian Earth Sciences, 30(2): 324-332.

Sun D, Bloemendal J, Yi Z, et al, 2011. Palaeomagnetic and palaeoenvironmental study of two parallel sections of late Cenozoic strata in the central Taklimakan Desert: Implications for the desertification of the Tarim Basin [J]. Palaeogeography, Palaeoclimatology, Palaeoecology, 300(1-4): 1-10.

Sun D, Shaw J, An Z, et al, 1998. Magnetostratigraphy and paleoclimatic interpretation of a continuous 7.2 Ma Late Cenozoic Eolian sediments from the Chinese Loess Plateau [J]. Geophysical Research Letters, 25(1): 85-88.

Sun D, Su R, Bloemendal J, et al, 2008. Grain-size and accumulation rate records from Late Cenozoic aeolian sequences in northern China: Implications for variations in the East Asian winter monsoon and westerly atmospheric circulation[J]. Palaeogeography, Palaeoclimatology, Palaeoecology, 264(1-2): 39-53.

Sun J M, 2000. Origin of eolian sand mobilization during the past 2300 years in the Mu

Us Desert, China[J]. Quaternary Research, 53(1): 78-88.

Sun J, Ding Z, Liu T, et al, 1999. 580,000-year environmental reconstruction from aeolian deposits at the Mu Us Desert margin, China [J]. Quaternary Science Reviews, 18(12): 1351-1364.

Sun S, Zhang Z, Zhang Z, 2009. New evidence on the age of the Taklimakan Desert [J]. Geology (Boulder), 37(2): 159-162.

Sun B, Wang Y, Li Z, et al, 2019. Estimating Soil Organic Carbon Density in the Otindag Sandy Land, Inner Mongolia, China, for modelling spatiotemporal variations and evaluating the influences of human activities [J]. CATENA, 179: 85-97.

Sun T, Lin W, Chen G, et al, 2016. Wetland ecosystem health assessment through integrating remote sensing and inventory data with an assessment model for the Hangzhou Bay, China[J]. Sci. Total Environ., 627-640.

TEEB, 2010. The Economics of Ecosystems and Biodiversity: Ecological and Economic Foundations[M].

Tong X, Brandt M, Yue Y, et al, 2018. Increased vegetation growth and carbon stock in China karst via ecological engineering [J]. Nature Sustainability, 1(1): 44-50.

Tong X, Brandt M, Yue Y, et al, 2020. Forest management in southern china generates short term extensive carbon sequestration [J]. Nature Communications, 11(1): 129.

Toth W, Vacik H, 2018. A comprehensive uncertainty analysis of the analytic hierarchy process methodology applied in the context of environmental decision making [J]. J. Multi-Criteria Decis. Anal., 25: 142-161.

Turner K R, Georgiou S, Fisher B, 2008. Valuing ecosystem services: The case of multi-functional wetlands[M]. London: Earthscan.

Wang H, Han D, Mu Y, et al, 2019. Landscape-level vegetation classification and fractional woody and herbaceous vegetation cover estimation over the dryland ecosystems by unmanned aerial vehicle platform [J]. Agricultural and Forest Meteorology, 278: 107665.

Wang X, Lu H, Vandenberghe J, et al, 2012. Late Miocene uplift of the NE Tibetan Plateau inferred from basin filling, planation and fluvial terraces in the Huang Shui catchment[J]. Global and Planetary Change.

Wang F, Pan X, Gerlein - Safdi C, et al, 2020. Vegetation restoration in Northern China: A contrasted picture [J]. Land Degrad. Dev., 31: 669-676.

Wang F, Pan X, Wang D, et al, 2013. Combating desertification in China: Past, present and future [J]. Land Use Policy, 31: 311-313.

Wang H, Han D, Mu Y, et al, 2019. Landscape-level vegetation classification and fractional woody and herbaceous vegetation cover estimation over the dryland ecosystems by unmanned aerial vehicle platform [J]. Agricultural and Forest Meteorology, 278: 107665.

Wei Z, Jie Z, Pan F, et al, 2015. Changes in nitrogen and phosphorus limitation during secondary succession in a karst region in southwest china [J]. Plant & Soil, 391(1-2): 77-91.

Wu C, Liu G, Huang C, et al, 2018. Ecological Vulnerability Assessment Based on Fuzzy Analytical Method and Analytic Hierarchy Process in Yellow River Delta. Int [J]. J. Environ. Res. Public. Health., 15: 855.

Wu J, Zhao L, Zheng Y, et al, 2012. Regional differences in the relationship between climatic factors, vegetation, land surface conditions, and dust weather in China's Beijing-Tianjin Sand Source Region[J]. Nat. Hazards., 62: 31-44.

Wu Z, Wu J, Liu J, et al, 2013. Increasing terrestrial vegetation activity of ecological restoration program in the Beijing-Tianjin Sand Source Region of China[J]. Ecol. Eng., 52: 37-50.

Xu Y, Yue L, Li J, et al, 2009. An 11-Ma-old red clay sequence on the Eastern Chinese Loess Plateau[J]. Palaeogeography Palaeoclimatology Palaeoecology, 284 (3-4): 383-391.

Yang J, Weisberg P J, Bristow N A, 2012. Landsat remote sensing approaches for monitoring long-term tree cover dynamics in semi-arid woodlands: comparison of vegetation indices and spectral mixture analysis[J]. Remote Sensing of Environment, 119: 62-71.

Yang X, Scuderi L A, Wang X, et al, 2015. Groundwater sapping as the cause of irreversible desertification of Hunshandake Sandy Lands, Inner Mongolia, Northern China[J]. Proc. Natl. Acad. Sci., 112: 702-706.

Zhang W, Chen J, Ji J, et al, 2016. Evolving flux of Asian dust in the North Pacific Ocean since the late Oligocene[J]. Aeolian Research, 23: 11-20.

Zhao H, Li G, Sheng Y, et al, 2012. Early-middle Holocene lake-desert evolution in northern Ulan Buh Desert, China［J］. Palaeogeography Palaeoclimatology Palaeo-ecology, 331-332: 31-38.

Zhao S, Wu X, Zhou J, et al, 2020. Spatiotemporal tradeoffs and synergies in vege-tation vitality and poverty transition in rocky desertification area［J］. Science of The Total Environment, 752, DOI: 10. 1016/j. scitotenv. 2020. 141770.

Zheng Y, Xie Z, Robert C, et al, 2006. Did climate drive ecosystem change and in-duce desertification in Otindag sandy land, China over the past 40 years?［J/OL］. J. Arid Environ. , 64: 523-541.

附　录

荒漠生态系统国家定位观测研究站名录

序号	生态站名称	技术依托单位	建设单位
1	河北丰宁沙地生态系统国家定位观测研究站	河北省林业科学研究院	河北省林业科学研究院
2	内蒙古巴丹吉林荒漠生态系统国家定位观测研究站	中国科学院寒区旱区环境与工程研究所	内蒙古巴丹吉林自然保护区管理局
3	内蒙古达拉特荒漠生态系统国家定位观测研究站	内蒙古自治区林业科学研究院	内蒙古自治区林业科学研究院
4	内蒙古多伦浑善达克沙地生态系统国家定位观测研究站	内蒙古自治区林业科学研究院	内蒙古自治区林业科学研究院
5	内蒙古杭锦荒漠生态系统国家定位观测研究站	内蒙古农业大学	杭锦旗自然保护区管理局
6	内蒙古呼伦贝尔沙地生态系统国家定位观测研究站	内蒙古呼伦贝尔市林业科学研究所	内蒙古呼伦贝尔市林业科学研究所
7	内蒙古吉兰泰荒漠生态系统国家定位观测研究站	内蒙古阿拉善盟林业治沙研究所	内蒙古阿拉善盟林业治沙研究所
8	辽宁章古台科尔沁沙地生态系统国家定位观测研究站	辽宁省固沙造林研究所	辽宁省固沙造林研究所
9	福建长汀红壤丘陵生态系统国家定位观测研究站	福建农林大学、中国林业科学研究院	福建省长汀圭龙山自然保护区管理处
10	河南原阳黄河故道沙地生态系统国家定位观测研究站	河南省林业科学研究院	河南省林业科学研究院
11	贵州黎平石漠生态系统国家定位观测研究站	贵州省林业科学研究院	贵州省林业科学研究院
12	云南广南石漠生态系统国家定位观测研究站	云南省林业科学院	云南省林业科学院
13	云南建水荒漠生态系统国家定位观测研究站	北京林业大学	云南省林业科学院
14	陕西榆林毛乌素沙地生态系统国家定位观测研究站	山西省林业科学院	山西省林业科学院
15	甘肃临泽荒漠生态系统国家定位观测研究站	甘肃省治沙研究所	甘肃省治沙研究所
16	青海贵南荒漠生态系统国家定位观测研究站	青海省农林科学院	青海省农林科学院

（续）

序号	生态站名称	技术依托单位	建设单位
17	新疆精河荒漠生态系统国家定位观测研究站	新疆林业科学院	新疆林业科学院
18	新疆尉犁荒漠生态系统国家定位观测研究站	新疆生产建设兵团林业科学技术研究院	新疆生产建设兵团林业科学技术研究院
19	甘肃敦煌荒漠生态系统国家定位观测研究站	中国林业科学研究院	中国林业科学研究院
20	甘肃民勤荒漠生态系统国家定位观测研究站	中国林业科学研究院	中国林业科学研究院、甘肃省治沙研究所
21	贵州普定石漠生态系统国家定位观测研究站	中国林业科学研究院亚热带林业研究所	中国林业科学研究院亚热带林业研究所
22	库姆塔格荒漠生态系统国家定位观测研究站	中国林业科学研究院	中国林业科学研究院
23	内蒙古磴口荒漠生态系统国家定位观测研究站	中国林业科学研究院沙漠林业实验中心	中国林业科学研究院沙漠林业实验中心
24	青海共和荒漠生态系统国家定位观测研究站	中国林业科学研究院	中国林业科学研究院
25	云南元谋干热河谷生态系统国家定位观测研究站	中国林业科学研究院资源昆虫研究所	中国林业科学研究院资源昆虫研究所
26	宁夏盐池毛乌素沙地生态系统国家定位观测研究站	北京林业大学	宁夏盐池县林业技术推广中心